2025年の衝撃 下

The shock and Impact of 2025

大崩壊は80年ごとにやってくる！

浅井 隆

第二海援隊

2025年の衝撃〈下〉

第五章　二度の〝どん底〟で何が起きたのか

〝戦後のどん底〟に何が起きたか　71

日本に横たわる「四〇年サイクル」と普遍の法則　95

第六章　国家破産を生き残るために——資産防衛の極意

第七章　破産後の日本を大復活させるために——新・船中八策

※注　本書では一米ドル＝一五〇円で計算しました。

第五章　二度の〝どん底〟で何が起きたのか

島国の人間は、どこも同じことで、
とにかくその日のことよりほかは目に付かなくって、
五年一〇年先は、まるで暗やみ同様だ。
それもひっきょう、度量が狭くって思慮に余裕がないからのことだよ。

（勝海舟）

近現代の日本が経験した二度の「どん底」

二〇世紀後半、急速に経済成長の坂道を駆《か》け上がった日本は、わずか四〇年ほどで覇権国家のアメリカにまで届くかというほどの経済大国となった。その後、「失われた三〇年」と言われる長い経済停滞を経験するものの、いまだに世界第三位の経済大国という地位にある（と思っていたら、最近ドイツに抜かれて四位に転落してしまったが）。日頃、私たちはそのありがたさを実感することはほとんどないが、実はこの事実は私たちに莫大な恩恵をもたらしている。

ぜひここで今一度、いかに日本が安全で快適な国かを思い返していただきたい。どんな大都市に行っても大抵の場所は治安が良く、物乞いやならず者を見かけることは少ない（最近は以前よりは増えているが、それでもまだ海外ほどではない）上、夜中に出歩いても危険な目に遭うことはまずない。コンビニに行けば物が潤沢《じゅんたく》にあり、交通機関は時間通りに運行している。ぼったくりをする店も少なく、人々は総じて穏やかだ。学校も役所も毎日きちんとやっており、ほとんどの会社も同様に毎日営業している。デモやストが起こることはまれだ。銀行に行けば、問題なくお金が引き下ろせる。決まった日にゴミが回収され、電気も水道も滞《とどこお》ることはまずない。

そして、最も基本的で重要なことだが、ここ八〇年近くもの長きに亘って他国から侵略や攻撃を受けたことがなく、また直近でもその危険性は少ない。もちろん、テレビのニュースなどでは物騒《ぶっそう》な犯罪や凄惨《せいさん》な出来事が日々放送されているし、海外で日々戦闘が繰り広げられている様《さま》も流れてくるのだが、実際のところ大多数の日本国民がニュースさながらの過酷な状況の当事者になることはない。

しかし、こうした平和な日常は、人類全体で考えればまったくもって「当たり前」のことではない。むしろ、奇跡的なことである。実際、日本に来た外国人の多くが、この日常に驚嘆《きょうたん》している。いわく、「なんて平和なんだ！」「身の危険を感じない幸せ」「食べ物はどこにも潤沢にあり、しかも美味しい」「日本人は皆、親切」「電車もバスも正確」「電気も水も止まらないなんて」……。

裏を返せば、世界の大半の国々は日本ほど手放しに安全でも便利でもないということだ。また、彼らは日本人が日頃感じることのない、何らかの「身の危険」「生活の不便」「混乱や困難」などに日々苛《さいな》まれているということだ。

さらには、「究極のどん底」というべき状況に陥っている国や人々もある。本稿を執筆している二〇二三年一一月時点で、最も過酷な状況にある国（あるいは地域や人々）を挙げるならば、ウクライナ、パレスチナ、アフガニスタン、南スーダンなどであろう。日常的に戦闘が繰り広げられ、行政が機能不全に陥っているからだ。生活インフラも多くが寸断され、いわゆる日本人が考える「日常生活」を送ることが困難となっている。物が圧倒的に不足し、仮にお金があっても役に立たない。外を歩く時も、犯罪に巻き込まれる危険が常に隣り合わせだ。

しかし、今日本が平和なのは、「たまたま運良く」そうあるだけである。これが未来永劫続くなどというのは、楽天的に過ぎる〝妄想の類《たぐい》〟である。そしてむしろ日本は、これから「混乱の極み」に向けて急転落して行く可能性が極めて高いのだ。その理由は、本書の上巻ですでに見て来た通りだ。

では、このどん底の大混乱によって、私たちにどんな困難が降りかかってくるのだろうか。日本社会は、これからどのような状態に陥るのだろうか。それを知るために、日本が近現代に経験した二つの「どん底」について見て行きたい。その二つとは、「明治維新」と「太平洋戦争の敗戦」だ。

明治維新は「どん底のガラガラポン」だった！

まずは、明治維新から見て行こう。この時代は、NHKの大河ドラマをはじめ、様々なドラマや小説などで度々《たびたび》取り上げられるため、読者の皆さんの多くもそうした物語を通じて漠然とその時代に対するイメージがあるのではないだろうか。この時代は、徳川家康の開闢《かいびゃく》から二六〇年を経てボロボロとなった江戸幕府を打倒し、天皇を頂点とする中央集権国家へと封建社会から資本主義社会への転換を図った近代化改革の時代であり、これによって日本は近代国家へと生まれ変わった。

「維新」とは、すべてが改まり新しくなることを言い、言葉の由来は中国最古の詩篇《しへん》「詩経」の大雅・文王篇にある「周雖旧邦、其命維新」（周は旧邦と言えども、その命は維《こ》れ新《あらた》なり）にある。

ただ、元々は「維新」ではなかった。一八六八年一月に明治天皇が発した「王政復古の大号令」では、「民ハ王者之大寶百事御一新」とされており、元々は「御一新」であったことがわかる。ちょっとした違いのようだが、実際その違いは〝ちょっと〟ではない。王政復古で宣言された「百事御一新」とは、天皇を中心とした新権力への「復古革命」という位置付けとなっているのだ。

では、「維新」はいつ登場したのか。この言葉が正式に使われたのは、一八七〇年一月の「宣布大教詔《せんぷたいきょうのみことのり》」だ。ここに「百度維新」という言葉が登場するのだが、これは、七世紀に律令制への移行を果たした「大化の改新」になぞらえたものとも言われる。「日本書紀」には「大化の改新」に言及した記事があるが、そこでは「政維新」（政《まつりごと》惟れ新《こ》なり）という言葉が使われている。

「大化の改新」は、朝廷の最高権力者であった蘇我氏から天皇が政権を取り戻し中央集権国家に国を改めるために行なった改革で、背景には大陸で隋《ずい》を滅ぼし大帝国として周辺国にまで影響をおよぼし始めた唐《とう》に対抗するための強い国づくりが急務であったという事情がある。つまり「黒船の外圧に対抗すべく天皇中心の中央集権国家を目指す」という幕末の状況が「大化の改新」と同じ構図であり、また音も「御一新」に近いこともあって「維新」と表現したわけだ。

ただ、この「宣布大教詔」の含意《がんい》するところは、既存の秩序を解体して天皇を中心とする「復古革命」ではなく、統治機構改革による文明国への生まれ変わりを果たすという意図が強調されたものという。西郷隆盛は、明治の政治改革の方向性を「復古革命であるべし」と見定め、ゆえに死ぬまで「御一新」という言葉にこだわり、決して「維新」とは言わなかったという。

西郷の逸話からもわかる通り、「御一新」から「維新」への差し替えは単なる言葉の置き換えに留まらない、明治新政府による巧みな世論操作、印象操作も狙いにあった。元々薩長は、天皇を担いだ新たな権力体制を作り上げるという一種の革命（御一新）を企図《きと》しており、彼らが行なったのはクーデター（暴力変革）であったのだ。

しかし明治政府になってからは、これを「維新」（より良い国づくりの改革）と置き換えた。その真意は、自分たちが行なっているのは権力闘争や暴力革命ではなく、「文明化によって（江戸幕府では成し得ない）より強く豊かな良い国」を作るための改革であった、とアピールしたかったのだろう。

実際、明治政府の「イメージ戦略」への取り組みは、政権発足から日を置かずに始まっている。明治五（一八七二）年には、「正史」である『復古記』の編纂《へんさん》が始まり、これが討幕の正義や戊辰《ぼしん》戦争の必然性、さらに明治政府の正当性を確立する根拠とされた。『復古記』以外にも、『大日本維新史料綱要』『幕末外国関係文書』などが編纂され、日本近世・近代史の基礎としてその後の義務教育にも用いられている。

そして、新政府のイメージ戦略の定着に大きく貢献したのが「教育改革」だ。

それまでの「私塾」「寺子屋」「藩校」では、教育内容も方針もバラバラであり統一されたものはなかった。しかし「学制」の導入によって教育が中央集権化されたことで、全国一律の内容・方針で教育が施されるようになった。当然、天皇や明治政府に対する意図的な教育も行なわれたわけで、これが大いに明治維新のイメージ定着に役立ったわけだ。

その結果、後世に生きる私たちの多くが明治維新に漠然とした明るいイメージを抱いている。「暗黒の中世武家社会から文明化され、近代の扉が開かれた」「強く豊かで、治安もよくきれいな国になった」……確かにそういう側面もあろうが、その言葉が実感として伴うのは、あくまで時流に乗った一部の上流社会や富裕層、権力層に近しい人々だけであろう。

実際、あの時代を生きた大半の人たちにとって、「維新」はそんなに素晴らしいものではなかった。それどころか、むしろ「どん底」「最悪」「地獄のよう」な有様を招来するものだった。また、明治新政府も当初から秩序立って新しい制度や統治機構を組み入れ、整然と国づくりを進めたわけではない。むしろ、場当たり的とも言える策も繰り出し、ぎりぎりでその場をしのぎながらなんとか新体制を永らえさせたという部分も多い。そして多くの庶民は、そうした新政府の紆余曲折に生活を振り回され、苦難の日々を送ったのである。

幕末から明治——日本では何が起こっていたのか

ここで、幕末から明治まで歴史の流れを見て行こう。学校の日本史の勉強のようだが、「なぜ、そうなったか」と「それによって人々にどんなことが起きたのか」を想像しながら追いかけて見ていただきたい。おそらく、かつて勉強した退屈な歴史とは、まったく違う風景が見えてくるだろう。

■江戸後期の社会情勢

一八世紀後半、開闢から二〇〇年近くが経った江戸幕府は、制度疲労と度重なる飢饉《ききん》によって疲弊し、幕府も諸藩も慢性的な財政難に苦しんでいた。戦争がないにも関わらず多くの武士を抱えるという社会構造は、慢性的に財政赤字を生む大きな要因となっており、度々財政改革が行なわれたものの根本的な解決を見ることはなかった。また、参勤交代や天下普請《てんかぶしん》（幕府が大名に行なわせた土木工事。城郭建設のほか、河川の治水や道路整備なども行なわれた）などが、諸藩の財政にさらに重くのしかかった。そこに来て、世界的な気候変動の影響から度重なる飢饉（享保、天明の大飢饉）も到来し（この時期、欧州ではラキ火山噴火が原因の天候不順から飢饉が発生、フランス革命の遠因となった）、いよいよ幕府・諸藩の財政は危機的となった。

さらに一九世紀に入ると、産業革命によって大きな国力を持ったイギリスやアメリカが度々日本近海に現れ、社会は騒然とした雰囲気を帯びてきた。

こうした不穏《ふおん》な社会情勢に、さらに追い打ちがかかる。「天保の大飢饉」が到来し、大勢の餓死者が出たのだ。農村部の餓死者をないがしろにし、都市部の救済に重きを置いた幕府に対し、民衆は不満を爆発させる。「大塩平八郎の乱」に代表される、一揆《いっき》や打ちこわしが各地で頻発したのだ。

一揆と言えば農民の暴動というイメージが強いが、元々江戸時代の一揆は暴力を伴うものではなく、武器を持たずに徒党《ととう》を組んで強訴するという、整然としたものだったという。しかし一九世紀に行なわれた一揆や打ちこわしは、武力行使や放火といった、暴力的な手法に訴えるものに変質して行ったというのだ。これには様々な要因があると言われるが、社会に漂《ただよ》い始めた終末的な空気をさらに深刻なものにしたことだろう。

■ペリー来航、攘夷《じょうい》論の台頭と国内の混乱

天下泰平の江戸時代に暗雲が漂い始めた一八世紀後半以降、欧州では産業革命で資本主義が台頭し、市民が力を持ったことで相次いで市民革命が起きる。その後、欧州各国は曲折を経ながらも帝国主義的拡大を志向するようになり、勢力拡大を企図してアジアへも進出した。

欧米列強のアジア進出において大きなエポックとなったのが、一八四〇年の「アヘン戦争」だ。アジアの大帝国であった清朝がイギリスに負け、周辺諸国も

植民地化が進むにつれて、アジア圏の国々にも欧米列強が重大な脅威と認識されるようになったのだ。

その欧米がいよいよ日本にもその手を伸ばし始めたことで、日本国内でもその対処について議論が巻き起こり、危機感が広がって行った。

そして一八五三年、ついに幕末の壮大な物語が動き出す。米海軍提督のマシュー・ペリーが蒸気船を従えた艦隊で浦賀に来航し、開国を要求したのである。それまでも外国船は度々渡来していたが、一八五三年のペリー来航はそれまでとは一線を画し、強力な艦砲《かんぽう》を沖合に並べての威嚇外交を展開した。

アヘン戦争で列強諸国の強大な軍事力を知る江戸幕府は、列強に侵略の理由を作らせないよう外交での落としどころを模索し続けた。長崎、兵庫、横浜、箱館（当時）の四港の開港に応じ、また一八五八年には大老井伊直弼《いいなおすけ》が勅許《ちょっきょ》なしに不平等な通商条約（安政五ヵ国条約）を締結する。対外貿易によって物珍しい海外の品々がもたらされると、商人をはじめとして大いに富める人々が生まれた一方で強烈なインフレが巻き起こり、庶民生活を直撃した。

インフレの大きな原因となったのが、日本からの金《きん》の流出だ。通商条約において、日本国内と国外の金銀《きんぎん》比価《ひか》に大きな差があったことが原因となり、日本の小判と海外の銀貨を両替するだけで莫大な差益が得られるとわかった外国人が日本の小判に群がったのだ。幕府の勘定方《かんじょうかた》の無知が招いたずさんな話だが、慌てた幕府は金《きん》の海外流出を止めるため金《きん》品位の低い「万延《まんえん》小判」を製造する。

しかしこれは通貨の乱発と同義であり、現代流に言えば通貨価値の下落をまねく危険な金融政策だ。果たして、その顛末《てんまつ》は予想される通りとなった。品位の低い新小判の価値は低く見られ、物価は見る見る高騰した。このインフレによって、一般庶民や旗本、町人などの多くが貧困に叩き落とされたのだ。

不平等条約、貿易による国内経済の混乱、貧富格差の増大……こうした苦境をもたらした原因は、元をただせば暴力をちらつかせて開国を迫る列強諸国であり、それに弱腰な姿勢で応じた幕府である——人々はこのようにとらえた。やがてそれは、「外国を排除すべし」という「攘夷論」、そして幕府を打ち倒して新たな政治権力を打ち立てようという「討幕運動」という大きな流れを形作って行くことになる。

なお、この時期にはさらに悪いことが重なっていた。一八五四年には「安政大地震」（南海トラフ沿いを震源とする巨大地震）が発生し、東海から紀伊半島、四国に至る広範な地域に被害がおよんだ。一八五五年には「安政江戸地震」が発生、江戸市中での死者は七〇〇〇人以上とも一万人以上とも言われた。

また列強諸国の来航によって、新たな病原菌ももたらされた。一八五四年には「インフルエンザ」が流行、ペリーやハリスが病気を持ち込んだというイメージが広がり、「アメリカ風邪」と呼ばれた。なおインフルエンザは、一八五七年にも大流行が確認されている。

さらに恐ろしいのが、「コレラ」だ。日本初のコレラは一八二二年と言われるが、当時の庶民の認知度は低かった。しかし一八五八年に発生したコレラは全国各地で流行し、人々を恐怖に陥れた。まず長崎で流行が始まり、ほどなくして江戸でも感染者が発生し、各地にも感染が拡大したのだ。最終的に、江戸だけでも死者数が一〇万人（あるいは三〇万人）と言われている。

コレラは一八六二年にも大流行し、やはり江戸のみならず多くの地域でその恐ろしさが文献に残されている。当時は様々な呼び方がされていたが、発症から死亡まで数時間程度という例もあったため、頓死《とんし》を意味する「コロリ」という名前が浸透した。また「千里を駆ける虎のように瞬く間に猛威を振るった」様子から、「虎」の字を当てた「虎列刺《コレラ》」という名前も浸透した。

このほかにも、「天然痘《てんねんとう》」や「麻疹《ましん》」も流行した。開港に伴って外国人が押し寄せ、それまで日本で流行していなかった伝染病が一気に発症したのだ。外国人の到来と軌《き》を一《いつ》にして人々の間で次々と流行する奇病……外国を排除しようという攘夷論が力を得た理由として、こうした「奇病」の存在も無関係ではなかったことだろう。

■攘夷論の弾圧、討幕を企図する薩長、そして大政奉還《たいせいほうかん》へ

不平等条約による経済の打撃と、高まる攘夷運動を抑え込むべく、大老の井伊直弼らは攘夷派の大名や公卿《くぎょう》、志士たちを次々と弾圧して行った。「安政の大

獄」である。これによって一時は世論も沈静化すると思われたが、むしろ攘夷派勢力はより強硬化する結果となる。そして一八六〇年、井伊直弼は攘夷派の手により桜田門外で暗殺される（桜田門外の変）。幕府重鎮の暗殺という極めて重篤な政治事件の発生によって、いよいよ徳川政権は末期的様相を呈した。

攘夷派の暴発は止まらない。下関では長州藩が関門海峡を航行する外国商船を砲撃し海上封鎖を敢行した（下関事件）ことで翌年には四ヵ国艦隊の報復攻撃を受け下関が占拠される（四国艦隊下関砲撃事件）。また一八六二年の「生麦事件」（薩摩藩士が行列をさえぎったイギリス人を切り殺した事件）を契機として、一八六三年には「薩英戦争」が勃発する。この当時、薩摩藩は攘夷派ではなかったが、この戦争を機に尊王討幕の論が藩内で高まっていた。対外慎重姿勢の幕府を振り切り攘夷を敢行した薩長は、手痛い敗北によって列強諸国の圧倒的な実力を思い知り、以後列強の軍事力を借りて討幕を目指すこととなった。

諸外国との衝突と並行して、国内の政治闘争も苛烈さを増して行った。一八六三年、「文久の政変」によって京都を追放されていた長州藩勢力は、翌年になると京都守護職を務める会津藩主松平容保の排除を企図し挙兵する。「禁門の変」だ。京都市中での市街戦となったこの内乱は、結局のところ長州藩勢力の敗北に終わったが、京都は焼け野原となった上、後に天皇が東京に移り遷都《せんと》したため、京都の復興には多くの時間を費やされることとなった。

禁門の変によって、江戸幕府は長州藩の討伐《とうばつ》を決定するが（第一次長州討伐）、ちょうどこの直後の一八六五年頃が幕末の中でも最も混迷を極めた時期と言われる。それもそのはず、海外から押し寄せる列強の圧倒的な軍事力におびえ、幕府派と攘夷派で国内は分断、高位の為政者は暗殺され、京都は戦《いくさ》のために焼け野原になった。インフレは高進し、食うものがなく、謎の奇病が蔓延《まんえん》して近隣の人々がバタバタと死んで行く……こんな状況なのだから、人々は明日をも知れぬ不安に苛まれたことだろう。

実際、この時期には一揆などの民衆暴動がさらに頻発した。政情不安から諸藩が万が一に備えて米を備蓄するようになり、豊作でも米が流通せず米価が高騰したことも暴動に拍車をかけた要因だった。慶応二年（一八六五年）は、庶民の不安と不満が爆発した年となった。大坂では、主婦たちが起こした米穀商への抗議をきっかけに一揆が起き、伊丹、兵庫にも飛び火して打ちこわしも発生、鴻池《こうのいけ》のような有力商人の店も襲撃を受けた。

打ちこわしは江戸でも発生したが、町奉行は十分に取り締まりができなかったという。さらに、江戸では西洋の貿易品を扱う商人も多くあったため、彼らも襲撃を受けている。ある時など米国公使が街に出た際、庶民から投石に遭うなどしたというから、治安の悪化は著しいものだった。

秩父では「武州世直し一揆」と呼ばれる大規模な一揆が勃発、総勢は十数万にも達したという。現在の福島や長州周辺でも群発的に一揆が勃発し、国内は大いに荒れた。この一連の「世直し一揆」は、政治にも大きな影響を与えた。民衆暴動の多発に対応するため、長州討伐が中止となったのだ。

また、外国公使たちもこの暴動に大いに懸念を深めた。一八五一年に清朝で勃発した、「太平天国の乱」の二の舞を恐れたのだ。太平天国の乱では、太平帝国軍が支配した地域との交渉に赴《おもむ》いた列強の使節と洪秀全とで話がまったくかみ合わず、失望した列強諸国は結局、清朝に肩入れをして太平天国討伐を支援したのである。この経験から、日本も同様の混乱に陥ることを恐れた列強は、幕府に騒擾《そうじょう》を治めるため外米輸入を許可するよう強硬に迫ったという。

なお、列強諸国が圧倒的軍事力を持ちながら戊辰戦争などの内戦に直接軍事介入しなかった理由として、太平天国の乱や世直し一揆のような民衆反乱に自らが巻き込まれることを危惧したためであり、それが結果的に日本が植民地化を免《まぬが》れた要因にもなったとする説もある。

さて、打ちこわしや一揆以外にも幕末には奇妙な民衆運動が行なわれたという。それは江戸の市内に現れた「貧窮組《ひんきゅうぐみ》」というものだ。それは、どんなものだったのか。幕末当時を生きた人たちからの話を採集した「幕末百話」にその様子が記録されているので、少し引用してみよう。

『貧窮組』という菰《こも》の旗を押樹《おした》てた連中が、男女幾百名というもの市中を押廻って、四つ筋や、角々で大鍋を据え、町内の物持の家から、

米や、お菜《かず》や、金を貰って、お粥《かゆ》を炊き、一同で喫《た》べ、鬨《とき》の声を作って、また他の町内へ繰込む。コレが果《はて》は一組でなく、幾組も出来て、下谷から芝、品川、浅草、本所諸方に現われたんですが、乞食という訳でもない。乱暴をする訳でもない。ただ諸方を喰べて歩き廻るという組。いずれも旗が『貧窮組』というのですが、実に凄じいものでした。

（篠田鉱造著『増補 幕末百話』）

初めのうちは暴力沙汰もなく、単に炊き出しをして皆で食べるだけだった「貧窮組」だが、次第に人数が膨れ上がるとおかしな話になって行った。なんと、この珍妙な集団が誰の差し金かわからぬが突然町内で発起され、代表者が家々に「仲間に入らないか」と勧誘にくるようになったのだそうだ。そしてもし参加しない場合、金《かね》や食べ物を供出《きょうしゅつ》しろ、もし人も出さない、物も出さないとなればこちらにも覚悟がある、などと脅したというからなんとも物騒だ。

実際、日本橋人形町では商店が叩き壊される騒動も起きたという。何だかよくわからない話だが、終末社会ならではの出来事というべきだろうか。ちなみに、中里介山が幕末を舞台にして書いた未完の長編時代小説『大菩薩峠』にも「貧窮組」の話が独特の軽妙な語り口で残されている。

■王政復古から戊辰戦争へ、そして新政府の樹立

徳川の治世は、このような様々な混乱の中で急速に求心力を失って行った。元々は討幕派ではなかった薩摩藩も、薩英戦争を巡る経緯や国政を協議する体制について幕府と主張が対立、幕府が二度目の長州征討を決定すると、対立は決定的となる。そして禁門の変で激突し、不仲となっていた薩摩と長州が討幕を共通の目的として連携する。

しかし、一八六七年二月に慶喜が第一五代征夷大将軍に就任すると、その手腕を発揮して徐々に政治の主導権を回復して行った。フランス式の軍備強化もなされ、有能な人材を積極的に登用し、幕府勢力がにわかに影響力を高めて来たのだ。

政治で徳川に勝つことは難しい……薩摩・長州は政治闘争で徳川に勝つことをあきらめ、武力による討幕を指向するようになった。土佐、安芸《あき》を取り込み情勢打開を図ると、武力倒幕を回避したい土佐は慶喜に自発的な政権返上を申し入れる。当然、それは拒否されるだろう。ならば、それを武力発動の大義名分にすればよい。

しかし薩長の狙いは大きく逸《そ》れ、慶喜は予想外にも大政奉還に踏み切る。これには単に時流を読んで朝廷に権力を返還し恭順《きょうじゅん》したというだけでなく、その後新たに発足する政権内でも自身の影響力を維持できるというしたたかな読みがあったようだ。当然、その思惑は薩長も理解しており、政治手腕での討幕が厳しい薩長としてはいよいよ何が何でも武力討幕に持ち込む必要にかられた。

そこで一八六七年一二月（旧暦）、薩摩・長州の藩士たちの働きかけによって朝廷が「王政復古の大号令」を発し、天皇親政の下新政府の樹立を宣言する。事実上の〝クーデター〟である。

並行して薩摩藩は、武力蜂起《ほうき》のきっかけを作るため画策する。江戸に浪士やならず者を放ち、放火や強盗を繰り返させたのだ。そして、この首謀者たちは必ず江戸の薩摩藩邸に戻らせ、誰の差し金かすぐにわかるようにした。「薩摩御用盗」と呼ばれたこの騒擾は、やがて江戸市中の警備に当たっていた庄内藩にもおよぶ。庄内藩の屯所《とんしょ》への発砲事件が起きたのだ。

この一件で庄内藩は激怒、ついに幕府側は薩摩藩の浪士の処分を決定し、薩摩藩上屋敷を焼き討ちにする。まさに、薩長が待っていた展開である。これを契機として、薩摩藩は江戸幕府に戦争を仕かけた。「戊辰戦争」の始まりである。緒戦となる「鳥羽・伏見の戦い」では、薩長軍は「錦《にしき》の御旗《みはた》」を掲げて幕府軍を「朝敵《ちょうてき》」と喧伝《けんでん》し、幕府軍の気勢を挫《くじ》いて勝利をものにすると、そこから東進を開始する。実はこの御旗は、後に偽物《にせもの》であったことがわかっているが、戦争とはいかなる手を使ってでも勝ったもの勝ちである。権力を握れば、事実や歴史など後からいくらでも書き換えられるのだ。まさに、「勝てば官軍」というわけである。

さて東進する薩長軍は、三月にはいよいよ江戸に迫るところまで来た。この頃にはすでにその噂は江戸中を駆け巡っており、次々と人々が逃げ出し、江戸の町はゴーストタウン化した。その様子を、『貧民の帝都』という書籍が端的に表している。

米騒動などの騒擾《そうじょう》はいくどか経験しているが、これほどのさわぎはだれも知らない。安穏としていた大名や旗本が屋敷をすてて逃げて行く。あおられたように、町人までもが家財道具を大八車や牛車《うしぐるま》に山とつんで市内から脱出する。官軍と干戈《かんか》がかわされれば江戸は火の海になるだろう。四年まえの蛤御門《はまぐりごもん》の変で京都が焼け野原になったことを伝えきいている。（中略）

百万人の江戸は半分になり、都市機能は完全に破壊された。給金も支払われなくなり、日常の物資の運搬もままならない。駕籠《かご》舁《か》きがいても乗り手はまれだ。通りという通りに紙くずが舞い、くさった野菜がちらばり、猫の死骸がころがる。馬の糞《ふん》をひろう者もいなくなった。

堀には死体がゴミに取りかこまれてぷかぷかと流れている。おびただしいカラスが初夏の空に舞った。

（塩見鮮一郎著『貧民の帝都』）

興味がある方は、この続きもぜひ読んでいただきたいが、なかなか衝撃的な話が続いている。物乞いたちは武家屋敷に落とし物を探しに入ったりし、また中には夜鷹《よたか》（売春婦）を連れて大奥まで上がり込んで遊ぶ者もいた。一方で、幕府に忠誠を誓う武士たちは闇に紛れ、夜道で迷う官軍を辻斬《つじぎ》りにした。囚人たちは火事に準じて解放された（切放《きりはなし》）が、かといって廃れた町で食べる術もないため、牢獄に舞い戻って来た。日夜を問わず、空き巣、強盗、恐喝、婦女暴行が繰り広げられた。これを地獄と言わずして、何が地獄だろうか。

さて一八六九年五月、西郷隆盛と勝海舟の歴史的会談によって江戸は京都のように戦火に包まれることはなく、「無血開城」した。ただ、それから直ちに江戸の町が回復したわけではない。それどころか、混乱はそれから長く続いた。

明治二年から三年にかけての調査によると、江戸の人口は五〇万人余りであったという。また、明治政府が明治一三年に編纂した『統計集誌』によると、明治三〜四年の東京府の人口は六七万人強となっている。三二ページに〝百万人の江戸〟とあるように、百万都市がこれほど短期に人口減少したのには驚きだが、よく考えればそれもそうだ。

何しろ、幕府が瓦解《がかい》したことで諸藩大名は江戸にいる理由がなくなったのだ。また、官軍が乗り込んで来て天皇が遷都する江戸に住み続けることも、いろいろな意味で難しい。当然彼らは、こぞって故郷に帰って行った。そして江戸は元々、武家・大名たちの一大消費地であった。商人たちにとって、武家がいなくなることで商売は成り立たなくなり、彼らも蜘蛛の子を散らすように去って行った。ゴーストタウン化は、当然の帰結だったわけだ。

この江戸の惨状を、生で見た歴史上の偉人もいる。「近代日本経済の父」と言われる渋沢栄一だ。当時二〇代後半だったというが、後に彼は当時の江戸について次のように言っていたという。

幕府瓦解の余波は江戸市中を非常な混乱状態に陥れ、働くに職なく、食うに糧《かて》なき窮民が一時に激増し、飢えて途に横たわる者が数知れぬという有様であって、その惨状は実に名状す可《べ》からざるものがあった。

（同前）

各藩に仕えていた者たちがすべて各々の国に帰って行ったわけではない。中間《ちゅうげん》、小者《こもの》など、雑役を行なう下級職の者たち（武家奉公人）は、一緒に連れて行ってもらえず、ある日突然街に放り出され、働くあてもなく街をぶらつくこととなった。また、寺社に仕える者たちも路頭に迷い、物乞いに身を落とす者たちが続出したという。

実は、ここで誕生した物乞いたちは、明治維新によってすべからく救済されたわけではない。というより明治政府は貧民対策に積極的ではなく、明治期には貧民問題はむしろ大きな社会問題となったのだ。それについては、後述する。

さて、歴史の流れに話を戻そう。江戸無血開城の後、勢い付く官軍は上野戦争で彰義隊《しょうぎたい》を破り、さらに佐幕《さばく》派の中心的存在であった庄内藩、会津藩に攻め入る。特に会津藩との戦いにおいては、官軍は暴虐《ぼうぎゃく》の限りを尽くしたという。

禁門の変での因縁も、その理由の一つだったことだろう。それまでの遺恨を晴らすべく、好き放題を働いたのだ。殺戮《さつりく》、強姦、放火……ここでは詳細は触れないが、それはすさまじい地獄絵図が繰り広げられたという。

この凄惨な出来事は、会津人に癒《いや》しがたい傷を残した。実際、戦争から一五〇年以上が経った今でも、一部の会津の人々は薩長に深い恨みを抱えている。暴虐非道を尽くし、挙句には「賊軍《ぞくぐん》」と呼んで貶め、さらにはその後の明治期以降も長く差別的な扱いをして来たのだから無理もない。

かくして戊辰戦争は全国各地に悲惨かつ凄惨な爪痕《つめあと》を残しつつ、一八六九年六月の「箱館戦争」終結によって幕を閉じ、明治新政府が実権を掌握《しょうあく》した。

さて、ここでもう一つ重要な視点を示しておきたい。江戸末期、諸藩はどこも財政難に陥っていた。討幕を果たし、新政府を樹立した薩長も例外ではなかったはずだ。

幕末の出来事

1853年	ペリー来航	
1858年	安政の大獄	井伊直弼らによる反幕府派の大規模粛清
1860年	桜田門外の変	井伊直弼暗殺
1864年	禁門の変	京都は火の海に
1866年	薩長同盟	幕府の求心力の低下
1867年11月	大政奉還	
1867年12月	王政復古	
1867年12月	薩摩御用盗	
1868年 1月	鳥羽伏見の戦い	
1868年 5月	江戸無血開城	
1868年 5月	東北戦争	
1869年 6月	戊辰戦争終結（箱館戦争）	
1871年 8月	廃藩置県により幕藩体制が完全終結	

では、彼らはどうやって欧米の最新式軍備を揃え、一年以上もの戊辰戦争を戦い抜くことができたのか。国内での動きだけでは、この謎を解くことはできない。その答えは、日本に触手を伸ばしていた欧米列強のかけ引きにある。

当時、日本に野心を抱いて関わっていた国は英、仏、米、普、蘭、伊の六ヵ国で、戊辰戦争時には薩長側にイギリスが、幕府側にフランスが後ろ盾となって軍備を支援していた。彼らは、決して善意で支援をしていたのではない。内乱に武器を売って利益を上げ、さらに最終的には自分たちが支援する勢力が権力を掌握した暁にその後様々な利権を掌握し、巨大な利益を手にすることができると踏んでいたのだ。

戊辰戦争勃発直後の一八六八年二月、戦局に大きく関わる決定が六ヵ国でなされる。「局外中立」の宣言だ。これは国際法に則《のっと》った措置で、戦争や内乱が発生した場合に外交関係を持つ国々がいずれの当事国、当時勢力にも支援や関与を行なわないというものだ。

当時、列強諸国に開かれた港は四つあったが、長崎と兵庫は新政府が、横浜と箱館は幕府が支配していた。もし、いずれかの勢力を支援すれば反対勢力が支配する港において自国民が保護されなくなるリスクが発生する。こうした事情もあって、列強諸国は思惑が一致し「局外中立」に至った。

しかし、これがパワーバランスを大きく変えることになる。アメリカから最新艦船を購入し、またフランスからの支援を受けていた幕府は、これらの後ろ盾を急に失うこととなったのだ。こうした事情もあって、徳川慶喜は新政府に降伏し、江戸城の無血開城という結果になったのだ。

慶喜の降伏によって戊辰戦争の雌雄《しゆう》は決したものの、それからも旧幕府勢力の抵抗は続いた。これらの動きにも、諸外国が関与していた。新政府に対抗すべく東北の諸藩で結成された「奥羽越列藩同盟《おううえつれっぱんどうめい》」には、背後に新興国プロイセンが付き、武器供与や軍資金の提供を行なっていた。プロイセンの狙いは、北海道の利権獲得だ。

さらに榎本武揚が箱館を占領し新政府と対峙《たいじ》した箱館戦争においては、ロシアが旧幕府側を支援し北海道まで勢力拡大することを画策していた。当時「南下政策」を進めていたロシアは、新政府側を支援して利権獲得を目指していたイギリスにとって大きな脅威であった。そのためイギリスは一刻も早い戦争終結を企図し、「局外中立」を撤廃して新政府軍に最新鋭艦を引き渡したのである。

日本における歴史的一大事の背後には、必ずと言っていいほど外国の大きな影が控えている。そうしたものの影響なしには大きな変革を成し得ない、ということが明治維新にも当てはまるのだ。

新政府による巨額債務の処理

さて、経済に関心がある読者の皆さんにとって、このようになかば〝クーデター〟によって政権を奪取した明治新政府が、莫大な借金を抱えていた江戸幕府と諸藩の債務をどのように整理したのかは気になるところだろう。いくら「御一新」だと言っても、大した実績も権威もなく権力基盤もまだまだ脆弱な新政府が「江戸時代の借金はすべてチャラです」などと言えば、即座に暴動が起き政権は転覆する。自分たちが作ったものではないにせよ、借金をなかったことにするなど到底できないのだ。そこで新政府が行なったのが、「抜本的な国家改革の流れの中で債務整理や財政再建を組み込む」という方法だった。

まず、諸藩が抱える莫大な債務は、「廃藩置県」で棒引きにした。廃藩置県では、廃藩する代わりに諸藩が抱える莫大な借金を一定条件で新政府が肩代わりする、という内容が盛り込まれていた。具体的には、四三ページの図のような内容だ。莫大な借金を肩代わりしてもらえるとあって、一部の藩は率先して廃藩置県に応じたという。その他の藩についても、主だった大きな抵抗などなく改革は進められた。これによって、実際には藩が独自に発行していた藩札の三分の一以上、藩債は半分以上が切り捨てられた。これも、ある意味では形を変えた「徳政令」のようなものである。

この損失を被ったのは、大名貸し（藩に対する融資）を行なっていた〝富商たち〟である。また一方で、残りを肩代わりする新政府も莫大な債務を負うことになった。なお、この「借金肩代わり」の措置は藩に適用されたもので、江戸幕府の債務は肩代わりせず、すべて切り捨てられた。

また、歳入の確保と増加を図ったのが、「地租改正《ちそかいせい》」だ。地租改正はかなり大がかりな税制改正で、それまでは収量に応じて村単位の物納となっていた「租」（年貢）を、収穫力に応じて決められる地価に対して税率を定め、個別の土地単位での金納《きんのう》にした。

これは、農民にとって非常に負担が大きい改正となった。実際の出来高や米価の高低に関わらず、所有地を根拠として毎年決まった額を納める必要があるため、不作の年や米価が安い時には税負担が重くのしかかった。村が共同利用していた入会地など、所有者不在で納税が困難な土地は国が没収した。

また、歳出削減も徹底した。最も大きなものと言えば「秩禄処分《ちつろくしょぶん》」だ。秩禄とは、公家や武士に支払われる給与やボーナスのことだ。江戸時代は、幕府も各藩も多くの武士を抱えていたが、言ってみれば現代日本の社会保障費と同様に幕府や諸藩にとって慢性的な財政赤字の最大要因となっていた。新政府も政権発足からしばらくは過渡的に秩禄を出していたが、この秩禄は新政府の歳出

「廃藩置県」時に新政府が肩代わりした諸藩の借金

1. 明治元年（1868）以降の債務

年4%の利息を付けて25年賦で
新政府が返済（新公債）

1. 弘化元年（1844）以降明治までの債務

無利息で50年賦で
新政府が返済する（旧公債）

1. 天保年間より前の債務

天保14年（1843）の
「棄捐令《きえんれい》」を根拠に無効とする

の四割を占めており、近代国家への投資が必要な政府にとっては容認できない支出だった。また廃藩置県や徴兵制の施行で、武士たちは〝用済み〟となった。ありていに言えば、「武士の大規模リストラ」が行なわれたわけだ。

このようにして、明治新政府は江戸時代に累積した莫大な債務を「徳政令」のような方法も用いて整理し、歳入の増大と歳出削減も行なって財政再建を進めたわけだ。その陰では、莫大な貸し付けを行なっていた大名貸しなど、多くの豪商たちの犠牲があったわけだが、江戸時代の豪商がすべて倒産したというわけでもない。業態転換や新政府への入り込みによって、したたかにその後を生き抜いた商人たちも、少なからずいたのだ。

しかし、明治維新後も苦難は続く

明治新政府は、西欧列強に伍《ご》する近代国家を目指し、大胆な改革を推し進めた。政治体制は、それまでの地方分権型から中央集権型に改められた。それまで大名が支配していた土地や人民をすべて天皇に返還し（版籍奉還《はんせきほうかん》）、藩を廃止して都道府県を設置する改革（廃藩置県）が行なわれた。また、太政官《だじょうかん》を頂点とする「三権分立制」が取り入れられ、行政、立法、司法機構もまったく新たなものになった（ただし明治期の三権分立は不完全で、戦後に施行された「日本国憲法」でようやく体制が整備される）。

その他にも、「学制改革」によって全国統一の教育体制が導入された。これによって、現在とは若干異なるものの小学校から中学、高校、大学までの教育が行なわれるようになった。また、列強に伍するための軍事力獲得を目指し、近代的な常備軍を設置するために「徴兵令《ちょうへいれい》」が導入された。

税制では、物納から金納に転換する地租改正が施行された。西欧文化を取り入れるべく、旧暦を廃し太陽暦（新暦）が導入された。また、身なりも西欧化を目指し「断髪令」も施行された。

庶民にとって大きな改革だったのは、貨幣制度を刷新して「円《えん》」を統一通貨にしたことだろう。また、それまで当然のものとして存在していた身分制度を廃し、「四民平等」を謳《うた》った布告も出された。いわゆる「解放令」というものだ。旧武士を士族、公家・大名や高僧などを華族として特権階級とするものの、後に秩禄処分を行ない「廃刀令」も発布することで士族は特権を失った。

このほかにも、宗教分野では「神仏分離令」や「天社禁止令」が出されて改革が進められたほか、産業、貿易、国土開発、エネルギーから思想、文化に至るまで、およそあらゆるものが西欧化された。

読者の皆さんも、想像してみていただきたい。支配者が入れ替わり、支配体制が変わっただけに留まらず、暦《こよみ》が変わり、身なりも変えさせられた。今までのお金は使えなくなり、信用に足るかも価値がどの程度かもわからないお金を使うことになった。税金は米からお金に切り替えられ、子供は野良仕事や家業ではなく学校に行くように言われ、働き盛りの男手は兵隊にかり出されるようになった。特権階級だった武士たちは、給料（秩禄）を失い、髷《まげ》も切らされ、武士の命である刀も取り上げられた。身分制度が解体され、それまで問答無用で付き従っていた下級階層の人たちが対等の身分として向き合うようになった

――どう考えても、国民生活は大混乱となること必至である。

当然、そうした改革のひずみは至るところで国民の不満として噴出した。ここでは詳しくは説明しないが、維新の改革で勃発した騒擾は枚挙にいとまがない。秩禄処分や廃刀令によって特権を失った士族（旧武士）たちは、士族反乱を起こした。主だったものでは一八七四年の「佐賀の乱」、一八七六年の「神風連の乱」「秋月の乱」「萩の乱」があるが、中でも最大のものが一八七七年に西郷隆盛が擁立されて勃発した「西南戦争」だ。新政府樹立以降初の内乱となるこの戦争では、新政府は圧倒的な兵装や兵力を持っていたにも関わらず、反乱軍に匹敵する犠牲者を出す。西郷を中心とする旧薩摩藩の闘争能力の高さが際立った一方で、政府軍の弱さも露呈した。

反乱は士族だけに留まらない。民衆も蜂起した。維新前から「世直し一揆」や「打ちこわし」などは頻発していたが、維新後も暮らし向きは楽にならず、それどころか急激な社会改革が一時に行なわれ、民衆の不安や不満が頂点に達したことも大きな理由である。

旧支配体制への回帰を求める「廃藩置県反対一揆」、徴兵による労働力搾取に反対する「徴兵令反対一揆」（血税一揆）、地租改正による税負担増や入会地（集落の共有利用地）の没収に反対する「地租改正一揆」などが勃発したが、中には身分制度を解体する「解放令に反対する一揆」も起きている。

これはどういうことかというと、かつて穢多《えた》・非人《ひにん》と呼ばれた下層階級の人々は、農民とは対等ではなく厳しい差別的扱いを受けるのが常識であったが、解放令によって下層階級の人々が農民と同等のふるまいを始めたことで農民が激怒し、一揆を行なったというものだ。社会的平等や差別撤廃への認識が浸透している今の日本からは、到底想像もできない話だ。

こうした社会の混乱を映すように、政治においてもいくつかの政変が起きている。一八七六年には「征韓論《せいかんろん》」を唱える西郷隆盛をはじめ、参議の半数が辞職、さらに軍人、官僚およそ六〇〇人が辞職する政変が起きている。いわゆる「明治六年政変」（征韓論政変とも）だ。征韓論は、当時鎖国を行なっていた李氏朝鮮が「欧米の植民地にならないよう独立・開国をしなければいけない。それを日本が支援する」という発想が元となっているが、維新によって失業した士族たちの不満を国外に向けさせようという政治意図も含まれていた。結局、西郷を筆頭とした多くの辞職者を出したこの政変が、明治最大の内戦である「西南戦争」につながって行ったのである。

一八七八年には、維新政府の少数による専制、国費の無駄遣い、志士の排斥による内乱の誘引などを理由として、大久保利通が暗殺される事件が起きた（紀尾井坂の変）。さらに一八八一年には「開拓使官有物払下げ事件」に端を発して、当時参議だった大隈重信とその一派が政府から追放されるという事件が起きた（明治一四年の政変）。

こうして見てみると、明治「維新」とはイメージばかり先行しているが内実は発足から一〇年以上が経過してもなおまったく社会が安定せず、激しい政治闘争や内乱、民衆暴動、貧困による社会不安が渦巻いていたことがよくわかる。

明治新政府がようやく安定してくるのは、一八八九年に欽定《きんてい》された「大日本帝国憲法」の発布以降のことだ。「富国強兵」「殖産興業」といったスローガンの下、急速な近代化がようやく軌道に乗り、国力が徐々に蓄えられて来た時期である。その五年後には「日清戦争」が勃発、二億両の賠償金と台湾領有という海外進出の初成果を獲得する。さらに一九〇四年の日露戦争においても辛うじて勝利をおさめ、いよいよ日本は〝東洋の一等国〟として台頭するまでになった。まさに司馬遼太郎の『坂の上の雲』のごとく、急速に発展した日本だったが、実はその裏には絶望的な「貧富格差」という社会問題も大きく横たわっていた。

現在の日本では、憲法によって国民が最低限の文化的生活を享受できるよう社会制度が作られているが、明治時代には基本的にそうした発想が現在に比べてはるかに低かった。制度としては「恤救規則《じゅっきゅうきそく》」というものがあったが、その内容は身寄りのない貧困者など、相互扶助や家族による扶養などがない者のみを国が救済するというものだった。

元々、江戸後期から日本には「通俗道徳《つうぞくどうとく》」の思想が浸透していた。簡単に言えば「貧しいのは、その人間の努力が足りないため」「努力、倹約すれば人並みに生活できる」という自己責任思想で、江戸後期には二宮尊徳、大原幽学などが窮乏した農村を巡って復興を図る際に倹約と勤勉を説いたことが普及の一因とも言われる。これに、開国によって西欧流の〝合理的思想〟が加わる。現在でこそ欧米の人権主義は先進的であるが、帝国主義時代の西欧諸国にはそのようなものはあってなきが如しであった。植民地では奴隷を使い、本国でも貧困者は使い捨てにし、環境破壊を行なってひたすらに経済発展を追求した時代だ。

貧困者の救済一つとっても、イギリスの救貧院やアメリカの救貧牧場では困窮者を収容して強制労働させるといったことが行なわれていた。江戸時代の日本では、災害が起きるなどして困窮者が出ると幕府や藩、時には商人が私財を出して救済所などを作り保護したというが、西欧は「弱く貧しい者は使い捨てる」だったのだ。

西欧を見習う明治新政府も当然、そういう基本方針となる。政権発足時には江戸時代の莫大な債務も抱えることとなり、一方では西欧に追い付くため産業や軍事に莫大な投資を行なう必要があった明治政府にとって、貧民救済などという「カネにならない慈善事業」に予算を割く必然性が見いだせなかったのだ。

果たして、明治時代には東京や大阪など大都市には巨大な〝貧民窟《ひんみんくつ》〟ができ上がった。東京で言えば、四谷鮫河橋《さめがはし》、芝新網《しばしんあみ》、下谷万年町《したやまんねんちょう》といった地域が、大阪では名護町《なごちょう》（現在の浪速区日本橋）がそれだ。貧民窟での暮らしぶりについてここでは言及しないが、明治中期には社会問題としての貧困をテーマにしたルポルタージュがいくつか出版されている。興味がある方は、書籍を当たってみると当時の様子を伺い知ることができ、面白いだろう。

「輝かしい明治」という幻想

昭和初期の俳人、中村草田男の有名な一句「降る雪や　明治は遠くなりにけり」は、昭和六年（一九三一年）に詠《よ》まれた。日本が近代化の坂道を一気に駆け上がった、まぶしく輝かしい明治時代への懐かしさや憧れを詠んだものとして知られる句だ。

確かに、明治には国家の成長期特有の空気があったことだろう。しかしその明治の実相は、決して光に満ちたものばかりではない。近代化と海外への進出によって強く豊かな国づくりが進められ、その恩恵にあずかった人々がいた一方で、ガラガラポンによって社会のどん底に叩き落とされ、貧困に苦しむ多くの民衆も生み出した。そこに社会的な救済の手はほとんど差し伸べられず、圧倒的な格差が横たわっていたのだ。

振り返ってみれば、明治期の苛烈な成長志向、発展志向と比べてみると、江戸時代とはなんとものどかで平和であったと言えるのかもしれない。それは、現代的な言葉で言えば、莫大な政府債務を累積させることを代償として構造的に持続性のない「武家社会」を維持し、太平の世を謳歌したということだ。

そうした平和は、「西欧列強の到来」という大きな外圧によってもろくも打ち砕かれた。新政府は、民草《たみくさ》を救済し慰撫《いぶ》する「仁政《じんせい》」を布《し》くのではなく、古い政府債務を踏み倒し、通貨を切り替え、制度を刷新し、民草に「貧困は自己責任」と言い捨てて再出発を果たした。時流に乗れる者はその恩恵にあずかって富む一方で、ふるい落とされた多くの者たちは貧窮者として社会の底辺に追いやられた。

こうした構図は、果たして幕末～維新期に特徴的なことかと言えば決してそのようなことはない。二〇世紀前半の経済学者シュンペーターは、「体制が崩壊する時は、いつも財政危機に陥っている」という含蓄に富む言葉を残した。「国家体制が崩壊する要因のほとんどは、財政危機である」という指摘は、明治維新においてもまったく当てはまる。幕府「瓦解」の直接要因は、西欧列強の進出という理解が一般的だ。

しかし、である。歴史に「もしも」はないものの、仮に江戸幕府や諸藩の財政が健全であったならば、列強に対峙する方策は様々にあったはずで、幕府は「瓦解」を免れたはずだ。結局のところ、幕府の「瓦解」は財政破綻に本質があり、列強の到来はそれを露呈させたに過ぎないということだ。

国家の崩壊は、財政を本質的な理由として起きる。国家は、社会の混乱と国民の困窮という莫大な犠牲を代償として再出発を果たし、そして往々にして社会的弱者を切り捨てて再興への道を歩む。結果として、絶望的な格差社会が生まれるのだ。それが、明治維新という「輝かしい時代」のもう一つの姿なのだ。

もう一つのどん底――太平洋戦争における敗戦

さて、一六〇年近く前の日本から再びタイムトリップし、もう一つの日本の「どん底」を見て行く。近現代の日本においてもう一つのどん底と言えば、一九四五年八月の太平洋戦争敗戦だ。私の書籍でも何度か取り上げており、当時がいかに厳しい状況であったかをお読みいただいた方もいるだろう。あるいは親や祖父母が戦争を経験した世代であれば、当時どのような困難な生活を送ったか、いかに深刻な社会情勢であったかなどを聞いたこともあるだろう。

ただ、やはり戦後八〇年近くが経ち、日本中に残された戦争の爪痕は、ほとんどかき消されてしまった。また戦争経験者たちもどんどん少なくなり、戦争がいかなるものなのかが語られる機会も少なくなった。

そこで今一度、太平洋戦争前後のどん底について振り返ってみたい。今回は特に、「なぜ日本が無謀な戦争に進んだのか」という経緯、そして「戦後のどん底がどのようなものだったのか」に焦点を当てて見て行こう。

日本はいかにして無謀な戦争に突入し、奈落の底まで落ちたのか

なぜ、日本が無謀な戦争に向かったのか。これについては様々な角度から史実が分析され論じられているが、一つの大きな要因として「軍部の暴走」があったことは確かだろう。日清、日露の両戦争に勝利した日本は、南満州鉄道を租借地《そしゃくち》として獲得、これを護衛するために大陸に軍隊を派遣し、後にこれが独立して「関東軍」となった。この関東軍が一九二〇年代後半以降大本営の方針や意向を無視し、度々独断で作戦行動を起こして軍事侵攻をした結果、事態が収拾のつかない方向に向かったというものだ。

しかし、これだけを聞くと多くの人が疑問に思うのではないか――「なぜ、

軍部は暴走したのか」と。あるいは、「なぜ、当時の政府や世論は彼らを批判し、粛清《しゅくせい》しなかったのか」と。実は、それも歴史を追って行くとよくわかる。と同時に、よほど注意しなければ後の世でも再び同じ轍《てつ》を踏む危険が高いこともわかってくる。では、見て行こう。

■日露戦争の勝利の裏で

一九〇五年、日本は大国ロシアとの戦争に勝利する。当時、世界最強の陸軍大国とも称されたロシアを相手に勝利をもぎ取ったことで、日本の国威《こくい》は大いに高まった。

しかしながら、その実態は紙一重の勝利であり、民衆が思い描くような「大勝利」とは程遠いものだった。日本が勝利できた大きな要因は、莫大な資金を日本に提供したユダヤ人資産家によるところが大きい。対露戦争のため金策に奔走していた高橋是清は、外遊先のロンドンで〝天祐《てんゆう》〟というべき幸運をつかみ取る。ドイツ系ユダヤ人資産家のジェイコブ・シフとの出会いだ。

高橋からの要請を受け、シフは莫大な資金援助を行なった。それは、ロシア国内では同胞のユダヤ人が迫害されていたためで、その同胞を支援するべくロシアと対峙する日本に財を投げ打ったのだ。さらに幸運だったのは、ロシア国内では「血の日曜日事件」(一九〇五年一月九日、労働者が行なったデモ行進に軍が発砲し数千人の犠牲者を出した事件。ロシア第一革命の契機となった)が発生するなど革命運動が激化しており、戦争継続が難しい情勢であったことだ。

日本海海戦での大勝利を材料に、日本はロシアを交渉のテーブルに引きずり出すところまでたどり着いた。しかしロシアは巧みな交渉戦術を駆使し、賠償金の支払いを頑《かたく》なに拒否した。そのまま交渉を長期化させても得るものは少なく、日本政府は南樺太《からふと》の割譲、遼東《りょうとう》半島の利権移譲などを認めさせる内容で妥結をした。

これに対して日本国民は、猛然と怒りをあらわにする。桂太郎内閣や全権であった外交官の小村寿太郎に対して苛烈な批判が集中、新聞各社は世論を代表するかのように連日政府の〝弱腰外交〟を書き立てた。

何しろ日本はこの戦争に、国家予算の四倍とも六倍とも言われる莫大な戦費を投じていた。シフのような外国人からの資金調達は大きかったものの、当然それだけでは足りない。よって、国内においても国債増発や増税を行なっており、国民は大きな負担を抱えながら戦局を見守っていたのだ。つまり、国民感情としては自分たちも戦争のために大きな犠牲を払ったのに、賠償金は取れず生活は厳しいままというのはどうしても許せなかったということだ。

かくして一九〇五年九月五日、日比谷公園で行なわれたポーツマス条約反対の国民集会に端を発し、大規模な暴動が発生する。「日比谷焼打事件」だ。新聞社、交番、米公使館、果ては教会までもが襲撃され、東京は無政府状態となって戒厳令が布告され、軍隊が出動して鎮圧する大事件となった。

このように、国内が大いに荒れる一方、日本軍の威信は大いに高まった。お国のために命を投げ打ち、大陸から領土を切り取って利益をもたらす存在として、大いに認められることとなったのだ。

■大正デモクラシー、「世論」の形成

押しも押されもせぬアジアの一等国となった日本は、「わが世の春」を謳歌する。激動の維新と二つの戦争を経て、ようやく平和な時代を過ごすことになったのだ。一九一四年には第一次世界大戦が勃発するものの、主戦場は欧州であり日本は直接の当事国にはならなかった。さらに列強諸国の注目が中国から逸れたことで、中国進出のチャンスが生まれた。日英同盟を盾《たて》にした日本は連合国側としてドイツに宣戦布告、中国国内のドイツ権益を次々と接収して行った。

国内は、第一次世界大戦の戦争特需にわいた。時代はちょうど明治から大正に移り、文明開化が爛熟《らんじゅく》期を迎えていた。「大正ロマン」という言葉に象徴されるように、人々は和洋折衷《せっちゅう》の先進的な文化を大いに謳歌した。

一方、明治時代に起こった自由民権運動の流れは明治末期から大正時代に護憲運動に発展、薩長を中心とする藩閥《はんばつ》政治から政党政治に脱却することを目指した運動が活発になる。日比谷焼打事件のような騒擾からやがて市民運動が高まり、いわゆる「民衆」や「世論」という勢力が形成される時代となった。

比較的平和な時代を背景に、「大正デモクラシー」のこうした大きなうねりは一つの変化をもたらす。藩閥政治そのもののような意思決定を行ない権威主義的態度をとる軍部を、苛烈に批判する流れができたのだ。この「軍部批判」は世論にも支えられ、結果として社会における軍隊の人気低下にもつながって行った。時代は折しも「デモクラシー」全盛だった。

第一次世界大戦では、ドイツ、ロシア、トルコ、オーストリア＝ハンガリーといった権威主義国家が没落、一方で民主主義国家のイギリス、アメリカ、フランスが勝利した。国家間の集団的安全保障を支えるための国際連盟が設立され、帝国主義的政策が非難対象となった。そうした時代の空気の中で、「権威主義的」な態度の軍人は時流に合わないとみなされた。

この当時、軍人に対する人々の目線は、相当冷ややかなものだったという。軍人が面と向かって露骨に侮蔑や非難されることもあり、軍服で出歩くことも憚《はばか》られ、さらに若い将校が結婚できないといったこともあった。軍の志願者は激減、軍学校は「百姓と貧乏人」の行くところという認識が広がったという。

■度重なる恐慌と民衆の心理変化

しかし、平和な時代は長く続かない。そうした軍部批判の風潮にも変化が訪れる。一九一八年、第一次世界大戦が終結すると国内景気はにわかにかげりを見せる。それまでの戦争特需が失われ、さらに西欧列強が市場に戻ってきたことで国内産業が大打撃を受けたのだ。株価は半分から三分の一となり、銀行では「取り付け騒ぎ」が続出するパニックとなった。その後、一九二〇年代は「慢性不況」と呼ばれる主力産業の長期停滞が続くこととなる。

さらに一九二三年九月、「関東大震災」が発生する。死者・行方不明者は推定一〇万人超、東京から神奈川、茨城、千葉など関東一円に広範かつ甚大な被害をもたらした。政府は震災からの復興のため、「支払猶予《ゆうよ》令」「震災手形割引損失補償令」「臨時物資供給令」などで対策し、日銀も震災手形の割引などを行なった。

だが、戦後恐慌のダメージも回復しないところでのこの震災は、日本経済に深刻な打撃を与えた。震災手形の回収も遅れ、政府は救済融資のため公債を発行し続けたことでインフレも高進した。

そして一九二七年には、「金融恐慌」が発生する。戦後恐慌からの慢性不況と、震災恐慌の影響が色濃く残る中、片岡直温大蔵大臣が議会で「東京渡辺銀行がとうとう破綻を致しました」と言ってしまったのだ（なお、この銀行は破綻していない）。この失言がきっかけとなり、一気に取り付け騒ぎが巻き起こり、これが金融恐慌につながった。

すさまじい不況のため、企業はどこも採用を絞り大卒の就職率は三〇％という空前の水準を記録した。当時の大卒は、今のそれとは比較にならないほどのエリートであり、当然引く手も数多であるはずの存在だ。それが七割就職できないのだから、どれほどかが想像できよう。小津安二郎監督の映画『大学は出たけれど』は、まさにその時流を象徴する作品だ。

一九二〇年代最後の年には、経済史にも残る大恐慌が発生する。ニューヨークのウォール街での株価大暴落（ブラックサーズデー）を契機とした、「世界大恐慌」だ。日本では、前述の通り産業停滞やインフレが進行していたため、大蔵大臣井上準之助が金《きん》禁輸の解禁による為替の安定と輸出の増大、緊縮財政による物価の安定（インフレ退治）政策を行なっていた（井上財政）。しかし、ここに世界恐慌が直撃する。緊縮財政下での恐慌で、一九三〇〜三一年の日本は著しいデフレ不況に陥ったのだ。これにより、国内主要産業は再び深刻な打撃を被り、いよいよ日本経済は危機的な状況となった。

実は、この恐慌によって特に大打撃を受けたのは〝農村〟だった。世界恐慌の震源地アメリカでは国民の窮乏化で生糸《きいと》需要が激減、日本の生糸価格が暴落した。さらに、井上準之助大蔵大臣のデフレ政策や一九三〇年の米の豊作で米価も下落し、「農業恐慌」が巻き起こった。豊作なのに飢饉に陥るという奇妙な現象も発生し、農村経済は壊滅的となった。

さらに一九三一年には、東北・北海道地方で「冷害」が発生、大凶作となった。折からの不況で農家には兼業できる仕事がなく、さらに都市部で失業した人々が故郷に戻って就農していた。いよいよ、農家の経済は飢饉並みの危険水域に達した。青田売り（出穂していない稲を売りに出す）や欠食《けっしょく》児童が深刻な問題となり、大勢の女子が身売りに出された。公務員の給料不払い、小作争議（小作が地主に小作料の減免を求める争議）も数多く起きたという。

■民衆とマスコミが作り上げた軍国主義

こうした流れの中で、国民の意識は大きく変わって行った。「大正デモクラシー」によって、藩閥政治から政党政治への移行が進むにつれ、政治には莫大な金銭が動くようになった。また大衆による政治は、政策論争より政治スキャンダルの暴露合戦という不毛な政治対立を生んだ。さらに、度重なる恐慌は体力にまさる財閥による寡占《かせん》を生み、著しい貧富格差も増大させた。国民は、こうした政治の腐敗や貧富格差に何ら対応することができない無力な政党政治に失望した。政治批判が加速し、新聞もこぞって書き立てた。

一方で、軍部内にも変化が起きていた。大陸では「北伐《ほくばつ》」（中華民国の打倒を目指した内戦）などの情勢変化があり、日本軍ではにわかに有事臨戦態勢の機運が漂うようになる。それまで軍内部にも波及していた「大正デモクラシー」

を取り込む動きは排除され、「理想主義」から「現実主義」に傾倒して行った。

また、政権に近い軍幹部と若手の将校たちとの間にも溝が生まれた。大雑把に言えば、軍幹部が藩閥政治からの脱却の過程で推進して来た「政軍協調路線」は、若い将校たちにとっては「金権政党政治に媚《こび》を売る堕落した唾棄《だき》すべきもの」に映ったのだ。根底には、軍の人気が低下し百姓や貧乏人が軍を目指すようになった構図も大きく影響しているだろう。

軍の若手や下級兵士の多くは、貧困に苦しんでいる家族や知人を郷里に残し、そうよりよい国づくりに貢献しようという純粋な思いから軍に志願して来た。そうした優秀でまじめで士気あふれる部下を抱えた青年将校たちが、金権政治に媚を売って堕落している軍幹部をどう見るかは明らかだ。彼らは義憤《ぎふん》にかられ、薄汚れた「老害」たちに代わって自分たちが社会を変えようと考えたことだろう。果たして青年将校たちは、「世直し」の社会変革を志向するようになる。

こうした世情の変化と軍部内の変化という文脈の中で起きたのが、一九二八年の「張作霖《ちょうさくりん》爆殺事件」だ。関東軍が奉天《ほうてん》軍閥（中華民国の一軍閥）の指導者張作霖を暗殺し、国民革命軍の仕業に見せかけて南満州への侵攻の口実としようとしたものだ。さらに一九三一年には、奉天郊外で南満州鉄道が爆破される事件が勃発、これを契機として関東軍は中国と戦闘に突入、満州を占領し翌年に満州国を建国する。

歴史的事実や経緯が明らかとなっている現在から見れば、こうした軍部の暴走は明らかにおかしいと思うわけだが、当時は違っていた。張作霖爆破事件はそもそも事件の全容が伏せられ、国民には詳細が知らされていなかった。また満州事変については、新聞各社がこぞって軍事行動を支持する報道を行ない、軍部や軍人に批判的だった世論も一転して日本軍の活躍を称賛した。

戦前、戦中の時期には、軍部による圧力や言論統制が新聞報道や世論形成をねじ曲げたという研究も多いが、満州事変の頃にはまだ比較的自主的な判断による報道ができた。この「軍部支持」も、メディアが主体的に報道したことだ。当時の新聞は、明治の草創期の頃とは異なり、大きな組織を維持するために営利性を重視するようになっていた。「正しい言論」を世に問うより、世論に迎合し「売れる言論」に重きが置かれるようになっていたのだ。

つまり、満州事変での支持報道はメディアの支持でもあり、また世論の支持でもあったということだ。人々は、金権にまみれて貧しい国民を救済できない政党政治に失望する一方で、大陸で国益を確保するために暴走を始めた軍部をむしろ快哉《かいさい》と共に歓迎するようになったのだ。

そして満州事変を機に、日本はいよいよおかしな方向に進み始める。国際連盟が満州国の不承認と日本の撤退を決議すると日本は国際連盟を脱退、国際的な孤立を深めて行く。一方、軍部の暴走はいよいよ加速して行った。

一九三二年五月一五日、陸海軍の青年将校らが総理官邸に乱入し、犬養毅総理を殺害する事件が起きる。「五・一五事件」だ。この事件の前にも陸軍将校らのクーデター未遂事件が起きており世情は緊迫していたが、この事件の公判が開始され、将校らが純粋な憂国を動機として現状打破のために決起したとの主張が報道されると、世論は一気に将校らに同情的になった。さらには、「やったことはよくないがその気持ちはよくわかる」などと将校らを称揚《しょうよう》するほどに世論は盛り上がり、将校を赤穂浪士になぞらえた劇が上映され、歌が作られて大ブームになるなど、英雄的に扱われることとなった。

これに味を占めた軍部の一部（皇道派《こうどう》）は、さらに行動に出る。一九三六年二月二六日、再び青年将校によるクーデター未遂事件が勃発する。「二・二六事件」だ。この事件では、五・一五事件のように将校への同情や称揚は集まらずむしろ軍批判が集中する結果となったが、しかしそれを逆手にとって「統制派」と呼ばれる軍幹部たちは政権内部での影響力を拡大し、政治発言を強めて行った。そして一九三七年には「盧溝橋事件」を引き起こして「日中戦争」に突入、さらに一九三八年には「国家総動員法」を公布し、いよいよ日本を戦時体制に塗り替えて行った。

■泥沼の戦争へ

その後の展開は、完全に戦争の泥沼である。一九三九年五月、満州国とモンゴルの国境線を巡ってソビエト連邦と紛争状態に陥る（ノモンハン事件）。この紛争に事実上敗れたことで、日本は全面戦争への重大な一歩を踏みこんでしまう。日中戦争の重要な戦略である「北進論」（朝鮮、満州、シベリアなど大陸北方に進出し、中国に対峙する戦略）が敗北で挫折したことで、フランス領インドシナをはじめとする東南アジアへ進出する「南進論」が台頭したのだ。

しかし、南進政策によって南部インドシナに進出すると、突如としてアメリカが石油の全面禁輸に踏み切る。この決定の背後には、マレー半島やシンガポールを領有するイギリスが日本の進出に危機感を高めたことや、イギリスがアメリカの大戦への参入を画策していたこと、日本によるシベリア侵攻を妨げるため日本を南進政策に仕向け日米関係を悪化させたかったソ連など、大国の様々な思惑が絡《から》み合っていたとされるが、いずれにしても日本にとっては致命的とも言える制裁措置であった。

アメリカの石油に依存していた日本は、これを打開すべく奇襲を用いた短期決戦でアメリカを交渉の座につかせることを画策する。かくして日本は、アメリカとの戦争にも突入することとなったのだ。

その後の経緯については、ここでは言及しない。この泥沼の戦争の結果として一九四五年八月に日本は敗戦し、どん底へと叩き落とされた。

〝戦後のどん底〟に何が起きたか

■「戦争礼賛」と「日本式ファシズム」が招いた悲劇

大正から昭和初期にかけての日本において、日本はアジア随一の一等国家であり、戦争を通じて国富を増大させて来た。そして民衆やメディアは強い軍隊を支持し、称揚して来た。

こうして見てみると、おそらく当時の国民の中には「戦争は、国が豊かになる手段」であるという、暗黙の「帝国主義的認識」があったのではないだろうか（実際、海外からは日本が「戦争好き」であると見られていた）。また度重なる恐慌を経て、政党政治への失望と不信を募らせた国民は、独断のきらいはあるものの、直接的に国益をもたらす軍部こそが明治後期の輝かしい日本を再び取り戻すという幻想を見たのではないだろうか。

そうした風潮があればこそ、軍部も政府も天皇を頂点とする〝日本式のファシズム〟へと突き進むことができたのだと思われる。しかし「天皇制ファシズム」による無謀な戦争の帰結は、ほかのファシズム国家、つまりヒトラー率いるナチスドイツやムッソリーニ率いるイタリアと同様、悲惨なものとなった。

■敗戦による貧困と食糧難

さて、戦争が終わり命の危険がなくなれば「はい、めでたし」かというと、そんなことは決してない。戦争に負ければ、その国民は必然的に貧乏のどん底に叩き落とされる。なぜかと言えば、「戦争が、とにかく金《かね》を食う」ものだからだ。

ひと度戦争になれば、国は経済を回すための労働力を兵役に振り向け、殺し合う道具をひたすら作り、敵地や戦地までそれらを運搬する。兵隊にも衣食住は必要で、それらも供給する必要がある。給料も出すし、怪我をすれば恩給も出さねばならない。退役すれば年金も支給する必要がある。また武器や兵器も、作りっぱなしでなく整備が必要だ。燃料もいる。

特に太平洋戦争は、巨大戦艦や戦車、戦闘機、爆弾などが主要な戦力となったため、かつての戦争とは比較にならないほど金《かね》がかかった。日中戦争開戦時からの日本の戦費総額は約七六〇〇億円で、これは開戦当時のＧＤＰ二二八億円と比べると国家予算の二八〇倍におよぶ。八年間にも亘ってそんな戦費をひねり出し、果ては砂糖や米、塩、衣類、金属類などに至るあらゆる物資が不足するほどにすべてを戦争に投げ打ち、そして負けたのである。敵国から賠償金を取るどころか逆に請求される立場になり、どん底になるのは当然なわけだ。

さらに、終戦年の一九四五年は悲惨な年だった。年初から天候不順が続き、大凶作となったのだ。国内農作物指数をみると一九三三〜三五年を一〇〇とした時、この年は五九・七にまで低下、壊滅的状況であったことがわかる。食糧管理制度の下、農家には農作物の提出義務があったが、終戦で政府の統治能力が低下すると供出に応じる農家が激減した。配給制度も壊滅的となり、特に都市部の人ほど深刻な食糧不足に見舞われた。

■困窮する弱者たち

海外から軍人・軍属や民間人が次々復員《ふくいん》すると、さらに食糧・物資不足が加速して行った。復員兵の中でも傷病《しょうびょう》兵は復員しても仕事ができず、駅や道端で物乞いをするしかなかった。故郷に帰ってもできる仕事もなく、またすでに家族も死んでいる者などは身寄りがなくなり、そのまま浮浪者としてさまよった。五体満足な者でも凄惨な戦場を生き抜き心的外傷を負った者は精神障害を発症、軍病院などに収容され社会から顧みられることもなかった。また、家に帰ることができた者でも精神を病んで引きこもりとなり、家族とほとんど話さないという例も多かった。彼らもれっきとした戦争の犠牲者であるのだが、食糧難のこのご時世には「ろくに仕事もしない穀潰《ごくつぶ》し」として軽んじられ、蔑《さげす》まれた。

また、敗戦と食糧難はもう一つの弱者たちを苦境に陥れた。戦災で家族を失った子供たち、「孤児」だ。特に大都市圏に多く、その正確な数はわかっていない。しかし一九四八年に厚生省が発表した調査結果によると、全国に一二万人の孤児がいたというから、実態はそれよりさらに多かったと推測される。

こうした子供たちは食うために盗みを働き、やがて主要駅を中心に全国に闇市ができると素性の悪い闇稼業の輩《やから》たちに手ほどきを受け、本格的な悪行にも手を染めるようになった。いわゆる「浮浪児」である。一九四六年当時、少年犯罪の八割は浮浪児が占めていたと言われるほどで、その内容も窃盗といった比較的ありがちなものから、詐欺、強盗、殺人、強姦、放火など、より悪質で凶暴なものにもおよんでいる。

深刻な社会問題になっていた「浮浪児」を封じ込めようと、GHQ主導の下で強硬な手段も取られた。「狩り込み」である。深夜に地下道を封鎖し、そこに集まっている浮浪児たちを一斉《いっせい》に捕獲して保護施設に強制収容するというもので、街の浄化作戦の一環として行なわれた。

しかし、保護施設はその名前から想像するような生易しい環境ではなかった。街に比べても食糧事情が悪く、一日にイモ半個のみということもざらで、しかも素行《そこう》の悪い子供たちばかりゆえに奪い合いが日常的だった。体の弱い子供や体格に劣る子供は、あっという間に淘汰された。監視役の大人たちによる子供たちへの体罰が常態化し、中には竹刀で叩かれ額《ひたい》が割れているのに放置される子供もいたという。劣悪な環境のため隙あらば脱走する子供が続出したが、施設側も彼らの面倒を見きれるわけもなく、なすがままにしていたという。

■進む深刻な食糧危機と各地で起きた暴動

この年、渋沢敬三大蔵大臣はアメリカのプレスに「来年度は餓死者一〇〇〇万人に達する」と悲劇的な予想を語った。また農水省は、四五〇万トンの食糧が足りないと試算、新聞は数百万人の餓死者が出ると報じている。

実際、これほど大規模な餓死者が出たという報告はないが、復員兵などであふれかえる上野では毎日のように死者が出た。夜が明けると行き倒れた人々があちこちの路地で見つかったといい、その光景は「まさに明治二年の地獄絵の再現」であったという。当時の新聞も「せまる死の行進」との見出しを打って、餓死者が出ていることを伝えている。また戦災孤児を引き取る孤児院でも、毎日のように誰かが餓死したという。

こうした飢餓状況に不満を募らせた国民は、大規模な抗議活動に打って出る。一九四六年五月一九日、政府の食糧配給遅延に抗議する集会が皇居前で行なわれたのだ（食糧メーデー）。当時の社会主義運動の高まりと相まって、参加者は二五万人に膨れ上がった。この大規模集会に先立って、江戸川区、板橋区、世田谷区などで「米よこせ大会」が開かれ、またそうした市民集会にまで発展しないまでも、都市部では役場などに食糧を求める人々が続々と訪れたというところも多い。

このように、一九四五～四六年は極めて深刻な食糧危機が国民に襲いかかったが、実はその後も食糧事情はしばらく安定しなかった。一九四七年にはカスリーン台風が襲来、病害虫が発生し食糧供給が打撃を受けるなど相変わらず食糧は安定しなかったのだ。そのためＧＨＱも、当初は日本国民への食糧供給を原則行なわないとして来たものの、日本の実情を見かねて物資供給を行なった。

また、この時期には在日中国人や朝鮮人による食料を巡る事件も発生した。彼らの一部は、自分たちが戦勝国の国民であるという身勝手な理由で横暴を働き、警察とも闘争を繰り広げた。一九四六年九月には、現在の新潟県村上市にある坂町駅で闇米輸送を取り締まっていた警察官七人が数十人の中国人、朝鮮人から暴行を受ける事件が発生している（坂町事件）。また京都では、一九四六年一月に闇米買い出しをしていた在日朝鮮人が現行犯逮捕されたことを契機に、在日本朝鮮人連盟と地元の的屋《てきや》・博徒《ばくと》らによる暴動が勃発し、死者、犠牲者を出している（七条警察署襲撃事件）。富山でも一九四六年八月に闇米取り締まりにより朝鮮人が検挙され、その後朝鮮人たちと警察官の大乱闘が起きた（富山駅前派出所襲撃事件）。

このように、戦後すぐには著しい食糧難から各地で食料を巡る暴動や事件、市民運動が激化した。この食糧事情が安定するのは、米の大豊作が続くようになった一九五五年以降のことである。実に一〇年にも亘って、断続的に国民は食糧不足に悩まされ続けたわけだ。

■不足する物資と横行する闇市場

深刻だったのは食糧だけに限らない。日本の通貨価値は、暴落と言っていいほどの下落を見せた。当然、庶民のほとんどが公定レートは用いず、割高な闇屋や闇市を利用したため闇レートが横行した。一時は、公定物価に対して闇レートが三〇倍近くにまで達したというから驚きだ。

通貨価値の下落、すなわち悪性インフレは猛威を振るい続け、結局はGHQが「ドッジ・ライン」という超緊縮の財政・金融政策を導入する一九四九年まで持続し、最終的に〝日本の物価は五年で七〇倍〟にもなった。当然、その裏返しとして〝通貨は紙キレ同然〟となった。

著しいインフレと物資統制によって深刻な食糧難に見舞われた国民は、生きるために闇物資の入手に奔走した。この頃、高インフレの影響で現金がほとんど通用しなくなり、〝物々交換〟が取引の主流となって行った。

食糧を求める人々は家財や衣類を持って地方の農家に行き、直接交渉して交換してもらった。そのうち、農家は連日のように物を持ってくる人々に辟易《へきえき》し、門前払いするようになる。そこで、農家との物々交換を仲立ちする「担《かつ》ぎ屋」という稼業を行なう者も現れた。これは、農家と顔見知りの人が個人規模で買い出し依頼を受けて代理で物々交換を行なうというものだ。

こうした物々交換にちなんだ言葉に、「タケノコ生活」というものがある。衣類を一枚一枚と剥《は》ぐように交換に出して食いつなぐ様が、成長中のタケノコが毎日外皮を剥ぎ捨てて成長する様に似ていることから名付けられたものだ。なんとも、悲哀漂う言葉である。

買い出しで人が押し寄せて農家は辟易した、という言葉の通り、こうした買い出しは一〇人、二〇人単位の話ではなく、一〇〇〇人や万人単位の話である。東京では、ある二日間でなんと一〇〇万人もの人々が近県に買い出しに出たという記録もある。

こうなると当然、物資統制を行なっている当局も黙っていない。闇物資の買い出しに使われる列車を一斉検挙し、大変な思いで入手したなけなしの食糧をすべて没収して行った。

民衆と当局が闇物資を巡って攻防を繰り広げる中で、こうした闇物資を拒み続けた「高潔の人」もいた。東京地裁の山口良忠判事は、「自分が闇米を食べながら闇米を扱う人を裁くことはできない」として闇米を拒み続け、三三歳の若さで餓死した。職業倫理としては見上げたものだが、その大元は為政者の失敗による敗戦と物資不足にあると考えると、なんともやるせない。

■ＧＨＱによる財産の接収と横暴

闇市の発展と並行して、当局は国民が求めていた貴重な食糧を没収して行ったわけだが、実は進駐していたＧＨＱも容赦なく国民資産を没収していた。あまり知られていないが、ＧＨＱは日本国内の貴金属類を接収し賠償に充《あ》てようとしていたのだ。その対象は政府、日銀から日本軍が隠匿《いんとく》目的で海に沈めたもの、さらには民間企業や個人にも追及の手を伸ばしたのだ。ある農家では、銀塊《ぎんかい》に墨を塗り鉛のように見せかけていたが、米軍の捜索隊が乗り込んで来て銀と見抜き、それを押収したという。

余談となるが、進駐軍による犯罪行為も多数発生したと見られる。このことについて残されている記録は少ないが、戦前日本にあった「特高」(特別高等警察:戦前日本にあった秘密警察)が残した貴重な記録がある。八月末のGHQ進駐からGHQの指令によって特高が解体される一九四五年一〇月までの、わずかな期間に記録された「進駐軍ノ不貞行為」という文書だ。

これによると進駐軍による強姦事件は一ヵ月で三七件(未遂含む)、警官に対する事件や一般人に対する強盗などは九〇〇件を超えていたという。GHQと言えば、整然と日本統治を行なったかのような印象があるかもしれないが、実情は他国の占領軍と大して変わらず、乗り込んで来た兵士たちが好き勝手に横暴を働いていたわけだ。

当時を生きた人々は、絶望のどん底だったに違いない。何しろ、ガス灯やレンガ造りのおしゃれな街並みは空襲によってすべて瓦礫《がれき》の山と化したのだ。そこに高進するインフレと物資不足が襲いかかり、人々を深刻な飢餓的状況に叩き落とした。さらに、進駐軍が乗り込んで来て暴虐を振るい、在日外国人たちも横暴を尽くしたのだ。敗戦国家日本は、まさに終末的な様相であったのだ。

■「徳政令」によって国民資産を徴収し、それで国の債務を減殺

さて一九四六年二月一七日、敗戦処理と戦後復興に取り組む政府は、高進するインフレを抑制しまた膨大な戦時債務を減殺するため、ついに「徳政令」の断行を発表する。「預金封鎖」「新円切替」そして「財産税」の三つの施策によって国民資産を徴収し、もって債務減殺に充てることとしたのだ。

預金封鎖は、この発表翌日の月曜日から行なわれた。銀行の休日に発表することで、国民が何も手を打てないようにする周到振りである。ただ、完全に預金引き出しができなくなったわけではない。世帯主は月額三〇〇円、世帯員一人に対しては一〇〇円が生活費として払い出しを認められていた。なお、給料の現金支給は五〇〇円まで認められていた。つまり、一世帯が一ヵ月五〇〇円で生活することを余儀なくされたわけだ。

月五〇〇円というと当時の公務員の初任給程度の額で、現在価値でおよそ二

〇万円程度である。これで一世帯が生活するのは相当厳しい。当時この引き出し、払い出しの制限に関連して「五〇〇円生活」という言葉が流行したが、実際に当時の様子を記録した短編映画では検証の結果、一家が毎月六〇四円もの赤字を出すことがわかったという。つまり、「五〇〇円生活」とはすさまじく切り詰めた生活であり、それを強いられた国民は窮乏を極めたというわけだ。

また徳政令で行なわれた新円切替では、それまで流通していた旧券を三月二日限りで無効とし、三月七日までに銀行に預け入れることを強制された。わずか二週間ほどしか猶予がないわけで、ほとんどの国民は何ら対策の施しようがなかったことだろう。

この短時日《たんじじつ》での切り替えは、政府にとっても無理のあるスケジュールだった。旧券のうち一定額は新円に引き換えできることとされたが、新円の印刷・流通が間に合わず、代わりに「証紙」を発行して旧券に貼り付けることで代用した。

また、切り替え対象の金種にまつわるゴタゴタも起きた。当初は一〇円以上の金種が新円切替の対象となっており、政府は極秘裏に準備を進めていたが、実施の段になってどこから漏れたのか広く国民に知れ渡ってしまったのだ。「五円以下の金種なら切り替えを免れられる！」――人々は五円以下の釣銭を目当てにたばこ屋や駅に列をなしたという。しかし、これが社会現象として問題視されると政府は即座に方針を変更し、五円券も切り替えの対象に指定した。

そして、財産税である。徴収に当たっては、個々の国民がどれだけの財産を持っているのかを調査し、それに基づいて税額を決定し徴収することとなった。財産税の発表から一週間後には「臨時財産調査令」が出され、三月三日午前零時時点の資産を記述・申告することとなった。対象の資産は八七ページの図の通りで、ほぼすべての資産となっている。

ここには不動産の記載がないが、これは「調査令」の申告対象にならないだけで課税の対象となっている。不動産は法務省に登記情報があるため、これを元に税額が算出されるという話だ。

なお、この「調査令」は、かなり徹底して行なわれたようだ。三月三日の日経新聞には「臨時財産申告書」の書式が掲載され、切り取って使うように注意書きまで添えられていた。また、当時は「戦争に負けたのだから仕方ない」という風潮も強かったようで、策を弄《ろう》して課税逃れを図るものは少なく、比較的粛々《しゅくしゅく》と徴税に応じる人が多かったそうだ。

■財産税による資産家たちの深刻な「没落」

さて、実際の課税対象者は一〇万円超の資産保有者とされた。現在価値に直すと、およそ四〇〇〇万円程度だ。保有財産が大きくなるにつれて課される税率が上がる「超過累進課税方式」が取られ、最大では一五〇〇万円超部分に九〇%もの重税が課された。現在価値にすると、六〇億円を超える資産部分の九〇%が徴収される計算だ。

仮に今、この財産税が課されたとすると、どれくらい徴収されるのか。五〇〇〇万円の資産保有者の場合、税額は二九〇万円となる。もし一〇億円を保有していた場合は、なんと六億五〇〇〇万円余りが徴収される。半分以上持って行かれるという話で、かなり深刻であることがわかるだろう。

「財産税」算定のために対象となった資産

預貯金、あるいはこれに準ずる債権

公社債、株式その他これらに準ずる財産

生命保険、信託、無盡《むじん》、郵便年金契約など

手形、小切手、郵便為替証書、収入印紙など

個人の事業用動産など

法人の財産目録

実際、財産税のおかげで多くの市民が没落を余儀なくされた。私が、とある方から聞いた当時の話では、多摩地域の広い土地を持っていた資産家たちが莫大な財産税を払いきれず、借金を背負って自殺する者が続出したという。

また、戦前まで全国各地にいた大地主たちも、財産税と農地改革によって没落して行った。現在では想像しがたいが、昔の大地主の中には数百町歩《ちょうぶ》（一町歩＝一ヘクタール）を所有する者もおり、隣町まで自分の土地という状態だった。しかしこれに財産税がかけられ、さらに農地改革で広大な農地はタダ同然の安値で国に召し上げられた。

大地主はいわゆる「地元の名士様」だったが、これら徳政令によって没落を余儀なくされた。家にお手伝いさんや乳母を雇い、何不自由なく生活していた彼らは、いきなり財産の大半を召し上げられ普通の農民と同じような生活水準に叩き落とされたのである。むしろ、財産税が高額であった分、ほかの農民よりもひどい目に遭ったという者もいたという。

没落したのは、土地持ちの資産家だけではない。「華族」と言われる特権階級の人々もほとんどが没落して行った。華族は明治政府になって登場した貴族階級で、旧公家は「堂上華族」、旧大名は「大名華族」と呼ばれ、そのほかに勲功を上げたことで叙せられる「勲功華族」というものもあった。明治二年の制度創設時には四二七家だったが、その後「勲功華族」が増加したことで最終的には一〇〇〇家超となった。彼らは戦前には特権階級であったが、戦後ＧＨＱの政策方針により実質解体状態となった。財産税がかけられたのもその一環で、多くの華族が所有していた土地を手放し、やがて没落して行ったのだ。

こうした「華やかなりし人々」の没落の様は、小説の題材にもなり社会的なブームを巻き起こした。ブームの火付け役となったのは、文豪太宰治の代表作『斜陽』だ。太宰自身が津軽の津島家という上流階級の出身であり、前述の農地改革によって家が没落する様を経験している。この小説が発刊されたのは一九四七年だが、すぐさま重版出来《しゅったい》となり、世間では没落する上流階級を示す「斜陽族」という言葉が流行した。

多くの家が没落する中、なんとか家業を興して生き残った華族もいる。現在の福岡県柳川市は柳川藩が治めていた土地で、藩主の立花家は明治に入って伯爵家となった。しかし、戦後の徳政令によって広大な土地も財産も召し上げられ、ほかの華族と同様に窮地に陥る。だが当主であった立花和雄、文子夫婦は旧伯爵邸だけは何とか維持し、これを利用して料亭を営むことを決意する。「武士の商法」ならぬ「殿様の商法」だ。当初はやはり経営が苦しかったものの、曲折を経て経営は軌道に乗り、今に至るまで営業している。九州でも指折りの旅館として有名な料亭旅館、「御花」だ。

ただ、こうした「御家再興」の道は険しかったようだ。終戦当時、立花家には二人の子供がおり、名家生まれで何不自由ない生活を送れるはずだったが、貧窮《ひんきゅう》の子供時代を過ごしたという。学校でお昼になり、みんなが弁当を一斉に開くとよその子の弁当箱には卵焼きが入っているのに自分の弁当には入っていない、ということも当たり前のようにあったそうだ。当時、卵は高級品だったのだ。子供心にはチクリと刺さるような話だが、それでも弁当があるだけまだまし、と言えるかもしれない。戦後の「没落貴族」とは、庶民以下にまで落ちぶれることもあったということだ。

没落した華族の有名どころと言えば、渋沢敬三が挙げられるだろう。「近代日本経済の父」である渋沢栄一の孫として生まれ、経済エリート街道をまっしぐらに進んだ敬三は、一九三一年に栄一の死去に伴って子爵を襲爵《しゅうしゃく》している。

実は彼こそが、華族没落の大きな要因となった財産税を決断した当の本人である。後に彼が「家が焼き討ちされることも覚悟した」と語った通り、命がけで日本再建への政策を断行したわけだが、財閥の長であり華族でもある自分の身の処し方も潔かった。

渋沢家は多くの企業を興し経営する、いわゆる「財閥」的な家だったが、実は当時ＧＨＱからは「渋沢同族株式会社は財閥には当たらないので、財閥解体を取り消してもいい」という通告をもらっていたという。もし、この言葉に従って財閥の指定解除を願い出ていれば、その後の渋沢家も強大な財力を維持できたかもしれない。しかし敬三はこれを断わり、財産税もなんと邸宅を物納して納め、自分は自邸隣にあった運転手の小屋に移り住んだのだ。さらにその後公職追放となると、庭を畑に作り替えて野良仕事に明け暮れたという。

典型的な「没落貴族」であるが、本人はいたって気楽に「ニコニコ笑って没落、略してニコ没」などと言っていたそうだ。なんとも大胆というか、大物というべきか。ただ、敬三本人は元々経済や政治のトップではなく学者の道を志していたというから、むしろ荷が下りて清々した心持ちだったのかもしれない。

しかし、このような「災い転じて福となす」ようなエピソードはごくまれであり、多くの華族の末路は悲惨なものだった。財産税のせいで一九四七年には、東京だけで一五人の旧家（華族）の当主が自殺したという話が残されている。

また三笠宮妃の実父に当たる高木正得子爵は、一九四八年夏に遺書を残して行方不明となり、四ヵ月後に奥多摩の山中で遺体が発見された。首の周りにひものようなものがあり、白骨化していたという。財産税で青山高樹町（現在の南青山七丁目近辺）の広大な宅地を物納し、財産のほとんどを失ったことが要因とされている。つまり、典型的な困窮自殺ということだ。

このように、「やんごとなき」特権階級であっても一瞬にして財産を失い、困窮の末に死に至るのが徳政令の真の恐ろしさだ。

■追い打ちをかけた「預金封鎖」と「インフレ高進」

さて、この財産税で実際には一九四億円が徴収された。大半が財閥などの超富裕層で、最大の高額納税者は「皇室」だった。課税基準日時点で三七億四七〇〇万円の財産を持っていたが、三三億五〇〇〇万円を徴収されたのだ。

国民の財産はこれで大半がやられたが、実はこれで終わりではなかった。財産税後も預金封鎖が実施され、その間にインフレが高進したおかげで残っていた預金なども実質的に紙キレ同然となってしまったのだ。

またさらに、一九四六～四九年には増税も行なっている。この期間のＧＮＰ比税収比率が増加していることから明らかで、酒税、たばこ税といった嗜好品への課税も重くなり、戦争で疲弊した一般庶民には、ちょっとした息抜きもできないほどの大きな負担となった。

財産を失ったのは国民だけではない。企業も戦後処理の過程で大きな損失を被った。法人については、財産税や戦時利得税が課されることはなかったものの、代わりに「戦時補償特別税」が課されたのだ。

保有する財産や戦時中に戦争関連で得た利益に課税されないのは、一見すると優しい措置にも見えるが実はそうではない。軍需金の未払代金、徴用され後に撃沈された船舶などは「戦時補償債務」として政府が支払いを約束していたが、その支払代金に対して一〇〇%の税金をかけたのだ。早い話が、戦争で政府がツケ払いにしていたものを全部踏み倒したわけだ。軍需関連企業を中心に、経営が危機的になる会社が続出した。その苦境を乗り越え現在まで経営している会社では、社史などに当時の厳しい状況が記録されているところも多い。

なお『2026年日本国破産〈警告編〉』（第二海援隊刊）には、当時どのような財政再建策が行なわれ結果として日本の財政がどうなって行ったのかという点をより詳細にまとめているので、興味がある方はぜひご参照いただきたい。

日本に横たわる「四〇年サイクル」と普遍の法則

さて、日本が経験した二つのどん底を見て来たわけだが、上巻でも詳しく見たようにここに大きな法則性があるのだ。少し検証してみると、実はこの二つのどん底は国家の盛衰を周期でとらえた時、「四〇年サイクル」で起きる盛衰の最低地点に当たるのだ。

九六～九七ページの図を見れば一目瞭然だが、一八六五年の「幕末のどん底」から四〇年後の日露戦争まで、日本は成長と繁栄の急勾配を一気に駆け上がって行った。強国ロシアから勝利をもぎ取るという大殊勲《しゅくん》を挙げ、アジアの一等国にのぼり詰めた一九〇五年が近代日本の一つの頂点と言えるだろう。

そしてその後の四〇年は、大正期は比較的平和だったものの昭和に入って一気に転落して行く。そして日露戦争から四〇年後の一九四五年に、「敗戦のどん底」を経験する。

パターンで動いている

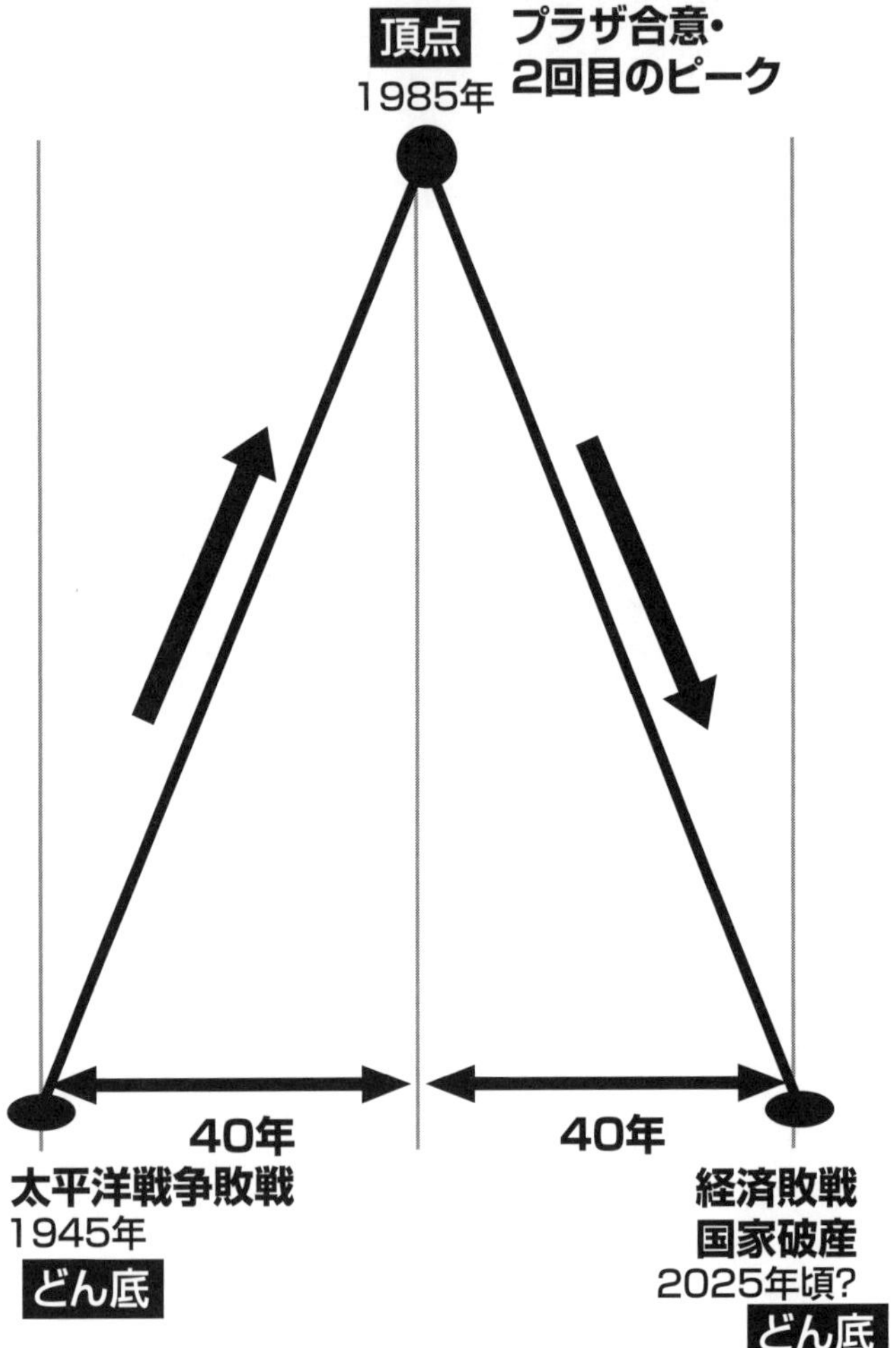

頂点
1985年
プラザ合意・
2回目のピーク
40年
40年
太平洋戦争敗戦
1945年
どん底
経済敗戦
国家破産
2025年頃?
どん底

近現代日本は40年（または80年）

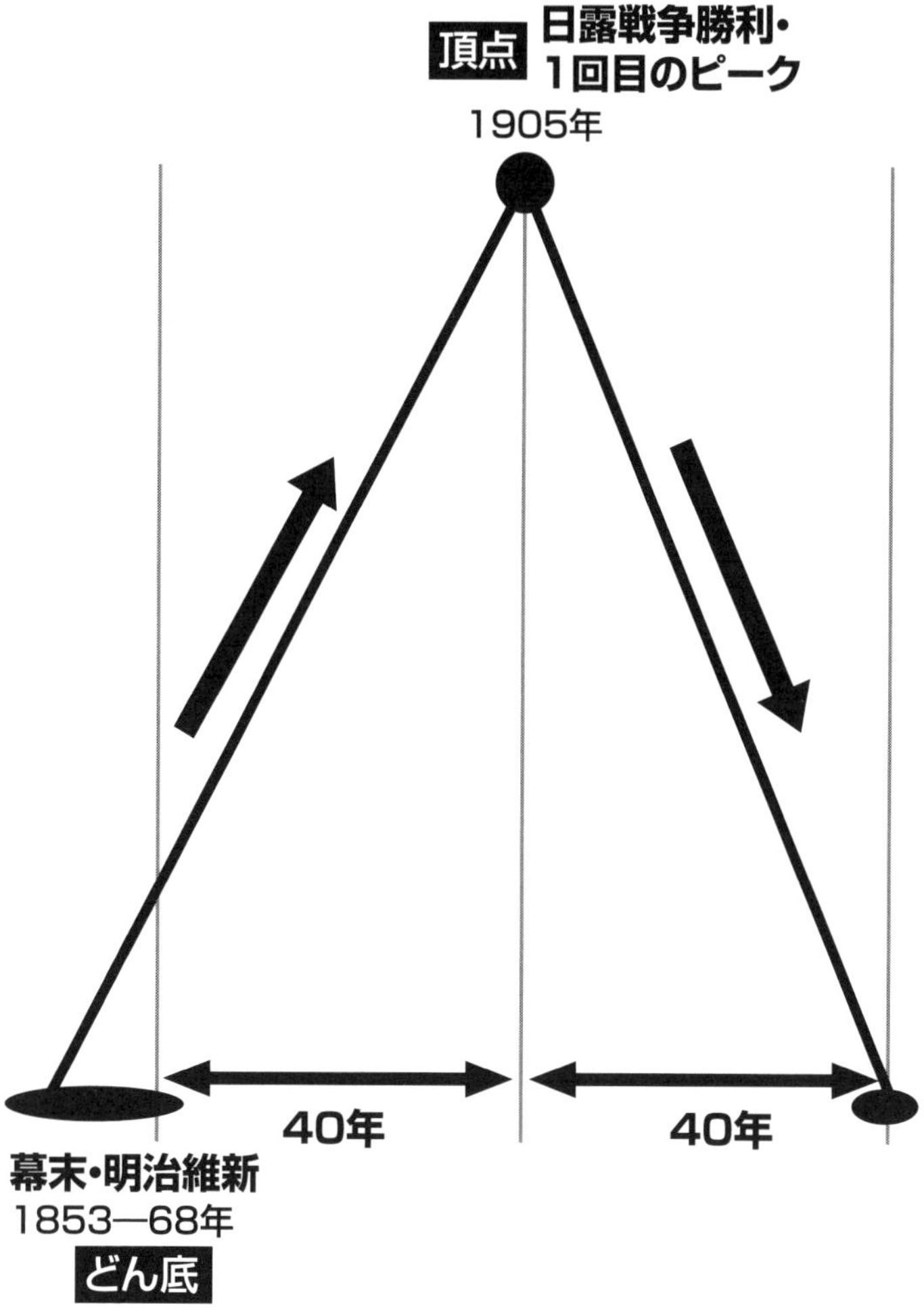

実は、このサイクルはまだ続きがある。本章では言及していないが、日本はこの後「朝鮮戦争特需」を経て高度経済成長に突入する。冷戦、石油ショックなどの不確定要因がありつつも順調に経済を拡大させた日本は、ついに経済でアメリカに比肩するほどにのぼり詰める。凋落する米国経済を救済するため、一九八五年には「プラザ合意」が交わされ、日本も協調介入に参加するようになったのだ。その後、アメリカとは貿易摩擦問題でつばぜり合いを繰り広げたものの、日本経済は「ジャパン・アズ・ナンバーワン」と称されるほどに栄華を極め、人々はその恩恵にあずかった。これもまさに、「四〇年サイクル」の上昇局面とその頂点である。

そして、現在だ。「プラザ合意」の五年後にバブルが崩壊、遅れて膨れ上がっていた地価も下落し、日本経済は長期停滞局面に陥る。金融機関の連鎖破綻危機に公的資金を注入し救済するものの、経済が本格的に好転することはなかった。一方で超高齢化社会は遅滞することなく進み、莫大な社会保障費が膨れ上がった。二〇〇八年の金融危機により財政出動が急加速し、政府債務はＧＤＰ

比で二五〇%を超えるほどに膨らんだ。国家がこれほどの借金を作るのは、戦争以外ではまずあり得ないことである。

そして、この天文学的債務は確実にどこかの時点で清算される運命を迎える。それは、同じく莫大な債務を清算した「明治維新」や「太平洋戦争敗戦」と同じ話だ。その時、日本は三度目の「どん底」を経験するだろう。私はその決定的時期が、二〇二五年に到来すると見ている。そう、日本の「四〇年サイクル」に当てはめると「プラザ合意」から四〇年後が二〇二五年となるからだ。

なぜ、こんな「国家盛衰のサイクル」があるのだろうか。明確な理論的根拠はないが、私はこのサイクルが人間の一生の長さに近いことと関係があると考えている。簡単に言えばこんな感じだ——社会がどん底に陥ると人々は艱難辛《かんなんしん》苦《く》を耐えて馬車馬のように働き、良い社会を目指す。やがて社会が豊かになり、それが与えられてしかるべきものだと考える人たちが主流になると、油断や増長が生じる。社会的な発展、成熟がピークを迎える頃にはどん底の時期を知らない世代が台頭し、徐々に退廃が社会を覆い始める。変革は停滞し、旧弊や既得権益が固守され、次に生じる危機に対処するどころか問題を先送りにし、使い古された方法論で目先の問題解決だけに拘泥《こうでい》するようになる。そして先送りにし続けた問題が怪物のごとく強大な大問題となり、国家に不可避の致命的な一撃を加え社会がどん底に叩き落とされる——明治維新以降の約一六〇年で、日本はこのような経緯をたどりながら二度の頂点と二度のどん底を経験した。そして目下のところ、急速な下落トレンドの最終局面に近付きつつある。

こうした歴史のパターン性を現在進行中でなぞっている私たち日本人は、おそらく明治維新や太平洋戦争から驚くほど何も学んでいないとしか考えられない。当時の日本人から、日本人は本質的にはほとんど進化も成長もしていないのだ。したがって、また同じ間違いを繰り返すだろう。もうすでに、近代以降三度目となる「莫大な政府債務」を積み上げた。そして残念ながら、三度目の「どん底」も回避しようがないだろう。

本書を手に取った読者の皆さんはそのことを知ってしまったが、しかし悔しいことに今からできることはほとんどないだろうと思われる。もしあなたが、今から社会を変革するための活動を開始するとしても、私にはその企《くわだ》てが成功することはとても想像できない。なにしろ、今の大多数の国民はあなたが訴えかける「耳に痛く、実行はさらなる痛みを伴う」改革など、聞く耳を持たない。国民が今の社会のパラダイムに染まり切ってしまっており、価値観をひっくり返すことなど到底できないからだ。そういう人々は、世の中がひっくり返るまで自分の価値観をひっくり返せない。麻薬中毒の末期患者に「クスリは危険だからやめましょう」などと言っても、もう聞かないのと同じことだ。彼らが薬をやめるとすれば、それはクスリが彼らに破局をもたらした後だ（その時、彼らが生きているかどうかは別の話だが）。

この残酷な近未来を知る私たちがせめてできることと言えば、いかにしてこの危機を生き残るか、そのためにいかに備えを固めるか、くらいである。もちろん、それとて非常に難しい話だが、まったくもって不可能というわけでもない。本書の後段では、具体的な方法論を解説するので、ぜひとも参考にしていただきたい。

第六章　国家破産を生き残るために

――資産防衛の極意

偶然は、準備のできていない人を助けない

（ルイ・パスツール〈フランスの細菌学者〉）

少なくとも一〇年は気を抜くな！

　世界を見渡せば、これまで多くの国々が国家破産の憂き目に遭って来たし、今もなお国家破産は頻繁に起きている。中には、何度もデフォルトを繰り返す国家破産の常連国もある。国家の破産は、決して珍しいことではないのだ。

『国家は破綻する――金融危機の８００年』の著者、カーメン・Ｍ・ラインハート氏とケネス・Ｓ・ロゴフ氏によると、一八〇〇年以降、対外債務に対するデフォルト（債務不履行）は二五〇回以上、国内債務に対するデフォルトは七〇回以上発生しているという。デフォルトの常習国も珍しくない。同書によると一九四五年以降だけでもアルゼンチンは九回、ベネズエラが六回それぞれデフォルトしているし、ギリシャにいたっては一八〇〇年以降、約半分の期間で財政破綻状態にあったという。

　このように、国家は破産するのが当たり前であるとさえ言え、「人類の歴史は国家破産の歴史である」と言っても過言ではない。それら国家破産の歴史からは、多くの教訓が得られる。それらの教訓からは、こうすれば「生き残ることができる」という対策を導き出すことができる。その中でも非常に重要な教訓の一つが「少なくとも一〇年は気を抜くな！」ということだ。というのも、国家が破産するとその影響はかなりの長期におよぶことになるからだ。国家破産の影響がいかに長期におよぶか、その実例をいくつか取り上げよう。

ソ連崩壊、そして国家破産

一九九二年一月、ソ連崩壊直後のロシアである重大な政策が実行された。それこそ、「価格自由化政策」である。ソ連時代は、あらゆる商品が国家の強力な管理の下で統制されていた。それがアメリカおよびＩＭＦの勧告に従い、ごく一部の日常品を除く大部分の商品の価格が自由化されたのだ。

これにより、ロシアは市場経済化への第一歩を踏み出したわけだが、同時にそれは長く厳しい国家破産時代の幕開けを意味した。ロシアの物価は一九九一年からすでにかなりの上昇を見せていたが、価格の自由化を受け、いよいよすさまじい勢いで高騰して行った。もちろん物価の上昇は政府もある程度予想していたが、実際のインフレは政府の想定をはるかに超えていた。一九九二年のインフレ率は、なんと二五一〇%にものぼったというデータがある。物価が一年で二五倍になるということだ。これでもとんでもないハイパーインフレだが、実際のインフレはこんなものではなかったようだ。

私はこれまでロシアを数回訪れ、国家破産について多くの取材をした。その結果、ロシアでは七〇〇〇%程度のインフレが三年ほど続いたということがわかった。一口にインフレと言っても様々な商品があり、それぞれに物価の上昇率も異なる。しかも、公式に発表されるデータは、往々にして控えめに算出されるものだ。あまりにも悪いインフレ率を公表してしまうと、ただでさえ落ち込んでいる国の信用力がますます低下し、海外からの資金調達にも支障が出るからだ。一九九二年をピークに多少ペースが落ちたものの、その後も年率三桁という高水準のインフレが続いた。

そんなロシアも、一九九五年頃から次第に落ち着きを取り戻し始める。インフレ率が徐々に下がり、株価も大幅に上昇した。景気が上向き、さながらミニバブルという状況であった。一九九七年にはインフレ率は一〇％台まで低下し、実質ＧＤＰ成長率がプラス圏に浮上した。悪夢のような日々からようやく解放される――多くの国民がそう感じていたに違いない。しかし、さらなる悪夢がロシア国民を待ち受けていた。一九九七年頃までの約三年間の経済の安定は、国家破産という嵐の〝つかの間の晴れ間〟に過ぎなかったのである。嵐は再び猛威を振るい、ロシア国民に容赦なく襲いかかった。

一九九八年「ロシア危機」がとどめの一撃に

「これですべて終わった」――多くの国民がほっと胸をなで下ろしていたところに襲いかかって来たのが、一九九八年の「ロシア危機」である。立ち直りの兆しが見え始めたロシア経済に冷や水を浴びせたのは、「アジア通貨危機」であった。一九九七年にアジア通貨危機が発生すると、世界の景気は冷え込んだ。新興国経済のリスクに対する警戒感が高まり、その影響は少なからずロシア経済にもおよんだ。質への逃避（金融市場の混乱等によって先行きへの不安が高まった際に、運用資産をよりリスクの低い、安全性の高いものに移す動きが強まること）、すなわちキャピタルフライトが起こり、政府は国債を消化するために超高金利政策をとらざるを得なくなった。

原油価格の下落も、ロシア経済にとって大きな打撃となった。ロシアは世界有数の産油国であり、原油の輸出が経済を支えている。原油価格の下落により輸出がもたらす利益が減り、税収も落ち込んだ。その結果、ロシアの財政は極度に悪化した。落ち着いていたインフレ率は一九九八年には再び上昇し、通貨ルーブルは下落した。金利は一時一五〇％に引き上げられ、ＩＭＦによる二二六億ドルの緊急支援も受けたが、資本流出を食い止めることはできなかった。

ロシア国債はデフォルトに陥り、預金封鎖が行なわれた。非情にも、国内の銀行に預けていたロシア国民の預金は失われた。経済が安定を取り戻したため、人々は安心し再び銀行にお金を預け始めていたのだ。銀行も比較的高い金利で預金を集めていた。特にお年寄りは、長かったソ連時代に国を過度に信頼するようになっていたため、もらった年金や虎の子の預金などをそのまますべて国内の銀行に預ける人が多かった。預金封鎖の結果、そうした老人はほとんど一夜にして全財産を失った。そして、絶望のあまり自殺するお年寄りが続出した。

封鎖されたのは、預金だけではない。驚くべきことに、銀行の「貸金庫」に預けていた財産までもが政府に没収されてしまったのだ。この預金封鎖により、国民の財産はほとんど根こそぎ奪われ、多くの国民が途方に暮れることになった。ロシア危機は、多くのロシア国民にとって〝とどめの一撃〟となった。

国家破産の混乱により、ロシアでは二極分化が急激に進んだ。一九九一年から九二年の危機の頃に上手く立ち回り、莫大な資産を手に入れた人間もいる。九〇年代のロシアでは新興財閥「オリガルヒ」も含め、「ニューリッチ」「ニューロシアン」と呼ばれる、資産一〇億ドル以上の「ビリオネア」が多数誕生した。しかし、そのような資産家は全人口のわずか三％程度に過ぎず、大多数の国民は窮乏を極めた。全人口の四〇％もの人々が乞食同然の状態に陥り、なんとか食べて行けるといった中間層はせいぜい一〇～一五％程度であった。特に年金生活者、つまり高齢者の生活が厳しかった。預金封鎖により預金が差し押さえられた上に、年金もほとんど出ない状態になったからだ。

公務員の生活も困窮を極めた。旧ソ連は社会主義国だから基本的に皆、国家公務員である。国が破産したことにより、給料は満足に出なくなった。中でも軍需産業に従事する者や科学者、医者、教師といった人々の中には失職する者もいた。失職を免れても、紙キレ同然の価値しかなくなったルーブルでのわずかな給料で生活せざるを得なくなった。給料の遅配も増え、ほとんど物乞いに近いレベルにまで転落する人も少なくなかった。

ソ連時代、医者の給料は国が払い国民は無料で診療を受けていたが、診療が有料になると「お金がかかるなら病院には行かない」と考える人が増え、患者は激減した。

治安も悪化した。特に、郊外の一戸建てには恐くて住めなかったという。いつ強盗に押し入られるかわからないからだ。一戸建てに対する恐怖感から、郊外ではアパート形態で住む人が多かったそうだ。そこそこお金を持っている人は護衛を付け、超大金持ちの中には海外に移住したり、武装した私設警備団を雇う人まで現れた。日本の戦後と同様、闇市が盛んになり、拳銃や機関銃などの武器も非常に安い値段で売られていたという。特にモスクワは喧嘩や銃殺が多く、テレビなどを見ても毎日のようにどこかで誰かが銃殺されていたという。このように、国が破産するとその国の治安は例外なく悪化を極めるのだ。

急激な社会の変動に付いて行けず、将来を悲観して自殺する人やウォッカなどの飲酒に逃げる人が増え、死亡率が上昇し平均寿命は短くなった。当時のロシアには、あの貧しいソ連時代を懐かしむ人がいたという。ロシア国民にとって国家破産は、それほどまでに過酷だったのである。一九九一年頃から始まったロシアの混乱が落ち着きを取り戻すのは、二〇〇〇年過ぎのことだ。九〇年代の約一〇年間、信じがたいほどの苦難と大変動がロシアを襲ったのである。

財政粉飾から始まった「ギリシャ債務危機」

ロシアと同様、ギリシャもまた一〇年程度の長期に亘り国家破産に伴う混乱に見舞われた。二〇〇八年のリーマン・ショックに続き、世界経済を動揺させた欧州債務危機。その危機のきっかけになったのが、ギリシャの国家破産だ。

二〇〇九年一〇月、ギリシャで政権交代をきっかけに財政の粉飾が明らかになった。GDP比で四％程度と発表されていた財政赤字が、実際には一三％近くに膨れ上がっていたことが判明したのだ。ギリシャは、瞬く間に財政危機に陥った。ギリシャ国債の格付けは相次いで引き下げられ、国債利回りは急上昇（価格は急落）し、デフォルト懸念が高まった。

ギリシャは、EU（欧州連合）、IMF（国際通貨基金）、ECB（欧州中央銀行）からの金融支援を受ける代わりに公務員の人員削減や給与カット、増税など厳しい緊縮財政を強いられた。その結果、経済は冷え込みギリシャは深刻なデフレに陥った。生活が苦しくなった国民の不満がにわかに高まり、緊縮策に抗議するゼネストやデモが頻発した。

二〇一〇年五月には、給与カットに反対する教師たちが国営のテレビ局に乱入する騒ぎが起きた。教師たちは番組を中断させて、「IMFはギリシャから出て行ってほしい」と放送で訴えた。また、デモの参加者が投げた火炎瓶《かえんびん》が銀行が入っている建物に引火し、三人が死亡するという事件まで起きている。

二〇〇八年以降、六年間もマイナス成長が続き、多くの国民の生活は苦しくなった。雇用は極度に悪化し、失業率は約二七%に達した。特に、若年層(一五~二四歳)の失業率は六〇%を超えた。

政治の混乱と困窮する人々

政治も混乱した。二〇一五年には、反緊縮を掲げる急進左派連合(SYRIZA)が総選挙で圧勝し、チプラス党首が首相に就任すると債務の減免を求めるギリシャ新政権と緊縮を求めるＥＵとの対立が深まった。支援協議は決裂し、いよいよギリシャの財政破綻リスクは高まった。危機感を強めた国民により、国内の銀行からは多額の預金が引き出された。

二〇一五年六月、ギリシャはついに預金封鎖に踏み切った。銀行の営業を停止し、現金の引き出しは一日六〇ユーロに制限された。海外送金にも規制がかけられ、証券取引所は休場となった。

生活に困窮する人々は、ますます増えて行った。首都アテネが運営するフードバンク（無料給食施設）には、困窮した多くの人々が配給を受けるために集まった。利用できるのは、一定水準以下の貧困層に限られる。フードバンクに登録されている世帯数は、二〇一二年にはわずか二五〇〇世帯であったが、二〇一七年には約一万一〇〇〇世帯と大幅に増えているという。

国家破産によってギリシャ経済は大打撃を受け、数千社の企業が倒産した。そして中間層以下の人々を中心に、多くのギリシャ国民の生活が破壊されたのである。

そんなギリシャも財政赤字の隠ぺい発覚から一〇年が経ち、ようやく国家破産から立ち直りつつある。新型コロナパンデミックが収束に向かう中、GDPの二割を占める観光業の回復もあり、経済成長率は二〇二一年が八・四%、二〇二二年が五・九%と大きく伸びている。財政も急速に改善が進み、二〇二二年には早くも基礎的財政収支（プライマリーバランス）の黒字化を達成した。コロナ禍の二〇二〇年にGDP比二一二%まで膨れ上がった政府債務残高は、二〇二二年には一七八%に縮小した。

一時はSD（選択的債務不履行）まで落ちたS&Pグローバル社による格付けは毎年のように引き上げられ、いまやBB+（ダブルBプラス）だ。同社は、二〇二三年四月にはギリシャの格付け見通しを「安定的」から「ポジティブ」に変更しており、「投資適格級」まであと一歩のところまで来ている。投資適格級になれば債券指数に採用され、幅広く世界からの投資が期待できる。信用力の高まりにより政府の借り入れコストは下がるから、財政運営にはさらなる追い風となろう。

見事と言えるギリシャの復活劇だが、これには大きな代償が伴った。支援の条件としてＩＭＦなどから厳しい緊縮財政を強いられた結果、ギリシャ経済は著しく疲弊した。マイナス成長が続いた結果、経済規模は七年間で四分の三に縮小した。失業率は二七％台に跳ね上がり、最低賃金は二割以上も引き下げられた。「これでは、とても暮らして行けない」と多くの人材が海外に流出し、人口も減少した。国家破産から立ち直りつつあるギリシャを支えたのは、〝多くの国民の犠牲〟であったことは間違いない。

ロシアとギリシャの国家破産は、いずれも一〇年程度続いた

以上、ロシアとギリシャの国家破産について振り返ってみたが、国家破産に伴う混乱は、両国いずれも一〇年程度続いている。したがって、少なくとも一〇年は気を引き締めて国家破産対策に取り組むべきだ。もちろん、中にはさらに長期に亘り国家破産状態が続くケースもある。特に日本は、債務の額が桁違

いに大きいので、深刻な状態が長引く可能性は十分あろう。

しかし、そのような場合でも常に混乱状態にあるわけではなく、〝波〟がある。混乱がひどい時期と比較的安定している時期があるものだ。そこで、まずは一〇年間を一区切りとして、その間を生き残ることに集中することをお勧めする。

間違いだらけの「国家破産対策」

国家破産対策の一番の基本は、「資産を自国通貨建てで持たない」ということだ。日本が国家破産すれば、「ハイパーインフレ」や「極端な円安」という形で日本円の価値が暴落する。だから、資産を〝円建てでなく円以外の通貨〟、つまり「外貨建て」で持てばよい。その点では、国家破産対策は非常に簡単だ。

しかし、本当に有効な国家破産対策はそれほど単純なものではない。一口に外貨建て資産と言っても、多種多様だ。ただ単に外貨建てにすれば生き残れるほど、国家破産は甘いものではないのだ。では、どうすれば生き残ることができるのか？　そのあたりのコツやポイントについて解説しよう。

①「国内銀行の外貨預金」は安全とは言えない

「資産を外貨建てにする」のは、国家破産対策の基本中の基本だ。外貨預金などで資産を外貨建てにしておけば、日本円が暴落して紙キレになろうが、ハイパーインフレになろうがびくともしない。

しかし、国家破産ともなると国内は少なからず混乱する。預金が封鎖されたり、銀行が営業を停止したり、あるいは預金に重い税金がかけられたり、などということが過去に国家破産した多くの国で行なわれている。外貨預金が自国通貨に強制転換された、アルゼンチンなどの例もある。すでに述べたロシアやギリシャでも預金封鎖が行なわれ、預金者は自分の預金を自由に引き出すことができなくなった。つまり、銀行や証券会社などの国内の金融機関に預け入れたり国内の金融機関を通じて売買した外貨建ての金融商品は、状況によっては国家破産の混乱の影響を受ける可能性があるということだ。

そこで、「外貨建て資産を国内ではなく海外で持つ」ことが重要になる。資産が海外にあれば、国内の混乱の直接的な影響は回避できると考えられるからだ。

海外の資産を保有する方法は様々だ。「海外のファンドを直接買う」方法、「海外の金融機関に口座を持ち、そこで預金をしたり金融商品を買ったりする」方法、「海外に不動産を持つ」方法などがある。後述するが、これらのうち一般の投資家でも比較的取り組みやすいのが、「海外ファンド」や「海外銀行口座」の利用だ。

②国家破産の大混乱のさなかに、海外ファンドや海外口座にある資金は使えない——「外貨キャッシュ」の必要性

時々、次のようなことを尋ねる人がいる——「国家破産対策として海外ファンドや海外口座を準備したが、国家破産で国内が混乱している時に本当に利用できますか?」。一見もっともな疑問だが、そもそもこの考え方には無理がある。

海外にある資金を国内に戻して使う場合、通常は銀行送金を利用する。つま

り、海外のファンドや銀行から国内にある自分の銀行口座に送金してもらうわけだが、では海外から送金してもらい、いざ国内の銀行口座に着金するという時に預金封鎖が行なわれたらどうなるか？　当然、お金を引き出して使うことはできない。たとえ外貨預金口座であっても、①の「国内銀行の外貨預金」と同じ状態になるわけで危険極まりない。

海外ファンドや海外口座は、資産を「危険な国内」から「安全な海外」に移すことで保全を図ることに意味があるわけで、混乱時にわざわざ「危険な国内」にお金を戻して使おうという発想には無理があるのだ。

そこで重要になるのが、「外貨キャッシュ」だ。日本円の価値が見る見る下がって行くような状況になれば、日常の買い物も含め様々な商取引で日本円は次第に敬遠されるようになる。その時、必要になるのが外貨キャッシュというわけだ。通貨は米ドルのみでよい。外貨キャッシュについては、基本的に通貨分散は必要ない。その時、最も信用力のある基軸通貨が利用される可能性が高いからだ。国家破産し自国通貨が暴落したロシアやジンバブエなどでも、流通したのは主に「米ドル」である。

国家破産により日本円が紙キレ化し、預金封鎖が行なわれるような混乱時には、「米ドルキャッシュ」ほど頼りになるものはない。

③銀行の貸金庫は安全とは言えない

一般に、銀行の貸金庫の安全性は極めて高い。盗難はもちろん、地震などの災害にも強いし、銀行が破綻しても貸金庫の中身にはまったく影響しない。

それでも、絶対視は禁物だ。特に国家破産のような有事においては、貸金庫はむしろ危険な代物になりかねないと心得るべきだ。すでに述べたように、ロシアでは預金封鎖が実施された際に、貸金庫の中身が没収されてしまった。また、ごくまれではあるが過去には銀行員による不正着服事件もある。

預金するにしろ、貸金庫を利用するにしろ、財産を金融機関に預けるという行為は預け先の金融機関を信用しているからこそできることだ。有事の際に金融機関が信用できない状態になれば、銀行が管理する貸金庫の利用は当然、リスクの高いものになると心得るべきだ。

④金（ゴールド）は国家破産対策に欠かせないが、“没収”というリスクがある

国家破産対策には、金《きん》の保有も必須だ。金《きん》の強みは、何と言っても実物資産であることだ。つまり金《きん》そのものに価値があるわけで、価格の変動はあっても無価値になることはまずない。インフレに強く、ハイパーインフレ時には大きく値上がりするだろう。だから、混乱が収まれば金《きん》もあなたの資産を守ってくれることは十分期待できる。

ただし、金《きん》には有事の際に注意すべき特有のリスクがある。ロシアが国家破産した時には偽物が多く出回り、金《きん》が役に立たなかったという。

また、最悪の場合、国家に没収されるというリスクもある。世界恐慌さなかの一九三三年には、アメリカで個人や企業による金《きん》保有が禁止された上、すでに保有している金《きん》については不利な価格で強制的に買い取られる、ということ

が実際に起きている。

日本でも敗戦後、政府、日銀、民間企業、個人が保有する金《きん》、銀、白金《プラチナ》などの貴金属が進駐米軍により接収されている。没収とは違うが、一九九七年のアジア危機の際に危機に陥った韓国では、国家の危機を救うために多くの国民が持っている金《きん》を拠出している。日本でも、国家破産した際に金《きん》の没収や拠出を強制される可能性は十分考えられる。価値が非常に安定している金《きん》は、国家にとっても非常に利用価値の高い資産のはずだからだ。

このような金《きん》の特性を考えると、国家破産対策として非常に有効とはいえ、あまり大量の金《きん》を保有するのはやめた方がよい。「資産全体の一割程度」に留めるのが妥当だろう。

真に有効な「国家破産対策」

このように、中途半端な知識がかえって仇《あだ》となる可能性があるのが国家破産の恐さだ。「使い慣れた国内の銀行で円預金を外貨預金に換える」「大切な財産は安全な銀行の貸金庫に保管する」「紙キレにならず、インフレに強い金《きん》さえ持っていれば大丈夫」……どれも一見するともっともらしく聞こえるが、実際に国家破産に見舞われた国でこれらの対策が役に立たなかった実例があるのだ。

では、真に有効な国家破産対策は何か？　それは、次の二点に集約できる。一つは「海外に出したもの」、もう一つは「手元に置いてあるもの」だ。国家破産時に生き残ることができるのはこのいずれかの条件を満たしたものだけだ。

国家破産を生き残る条件――その１「海外に出したもの」

①海外ファンド

海外には国内の金融商品にはない魅力的なファンドがたくさんあるが、本書ではその中で二つの海外ファンドを取り上げたい。

まず一つ目は「ＡＴファンド」だ。このファンドは非常に特殊なファンドで、二〇一四年八月の運用開始以来九年間、一度も下落したことがない。

海外ファンドには様々なタイプのものがあるが、株式や債券など市場で運用し収益を狙うものが圧倒的に多い。たとえば株が上がると予想すれば株を買い、下がると予想すれば売るわけだ。当然、予想が当たれば利益となり、外れれば損失となる。このような運用の場合、好調の波に乗って半年くらい負けなしということはたまにある。しかし、それが何年も続くというのはちょっと考えられない。ましてや、この「ATファンド」のように九年もの長期に亘り連戦連勝、一度も負けなしなどということはまずあり得ない。

「ATファンド」が連戦連勝を続けられる理由は、その運用にある。「ATファンド」は、主に個人や企業などへの融資を中心に運用するファンドだ。融資だから期日がくれば、利息が上乗せされて資金が戻ってくる。融資がきちんと返済されれば必ず収益が上がり、ファンドの運用成績もプラスになるというわけだ。もちろん、融資したお金が回収できなければ損失になるわけで、貸し倒れが増えればファンドの成績がマイナスになることもあり得る。

国家破産時に生き残ることができるのはこの2つ

①
海外に出したもの

②
手元に置いてあるもの

それを防ぐため、「ATファンド」では与信審査にビッグデータを活用するなどして、適切な与信管理に注力する。「ATファンド」は「LIBOR」（現在は廃止）と呼ばれる国際的な指標金利に四％上乗せしたリターンを目標に運用され、これまで毎年五〜六％程度のリターンを上げ続けている。

「ATファンド」の融資対象は個人向けの小口融資（マイクロファイナンス）、不動産関連の融資や農業従事者向けの融資、貿易におけるつなぎ融資など、様々だ。対象地域もイギリス、ヨーロッパ、オーストラリア、アメリカ、アフリカ、アジアなど幅広い地域に拡大し、リスク分散を図りつつこれまで安定的なリターンを継続している。「ATファンド」には、二万五〇〇〇米ドル（約三七五万円）から投資可能だ。

もう一つ取り上げるファンドが、「Tファンド」だ。株、債券、通貨、商品、金利などの様々な市場で運用されるファンドだ。先物市場で運用するため上げ相場では買い建てで、下げ相場では売り建てで収益を上げることが可能だ。

一般的な現物の場合は、投資対象を買い、それが値上がりしないと収益は得

1度も下落したことがない「ATファンド」の実績

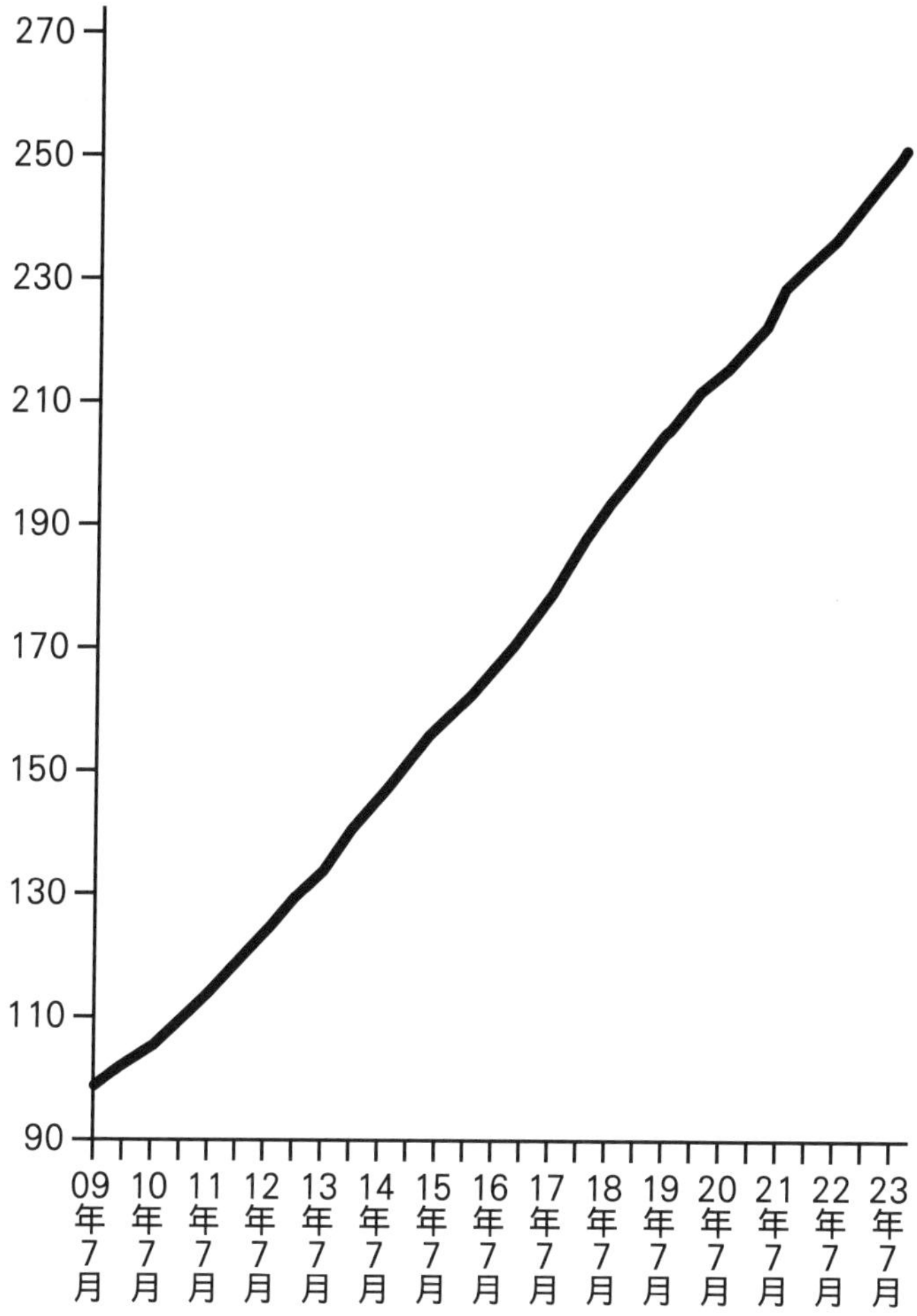

られない。相場の上昇・下落に関わらず、収益機会があるのは先物ならではのメリットだ。もちろん買い建てた投資対象が下落したり、売り建てた投資対象が上昇した場合は損失が出る。「Tファンド」は、コンピュータプログラムにより運用され、そのような局面ではプログラムが確実に損切りを実行し、損失の拡大を防ぐ。「Tファンド」は、上昇・下落に関わらず明確なトレンド（相場の方向性）が出る局面に強い。暴落時に利益を上げることも多く、リーマン・ショックがあった二〇〇八年の年間成績は五〇・八七％に達した。

ここ数年好調を維持しており、年間成績は二〇二〇年が＋九・六％、二〇二一年が＋三九・九％、二〇二二年が＋二三・一％となっている。二〇二三年も、九月までで六・四％の収益を上げている。

「Tファンド」とほぼ同じ手法で運用され、リスク（値動きの大きさ）を「Tファンド」の半分程度に抑えた「T－ミニ」というファンドもある。リターンも「Tファンド」の半分程度に落ちるが、「Tファンド」に比べ値動きの小さい安定的な運用が期待できる。

コンピュータプログラムによって運用「Tファンド」の実績

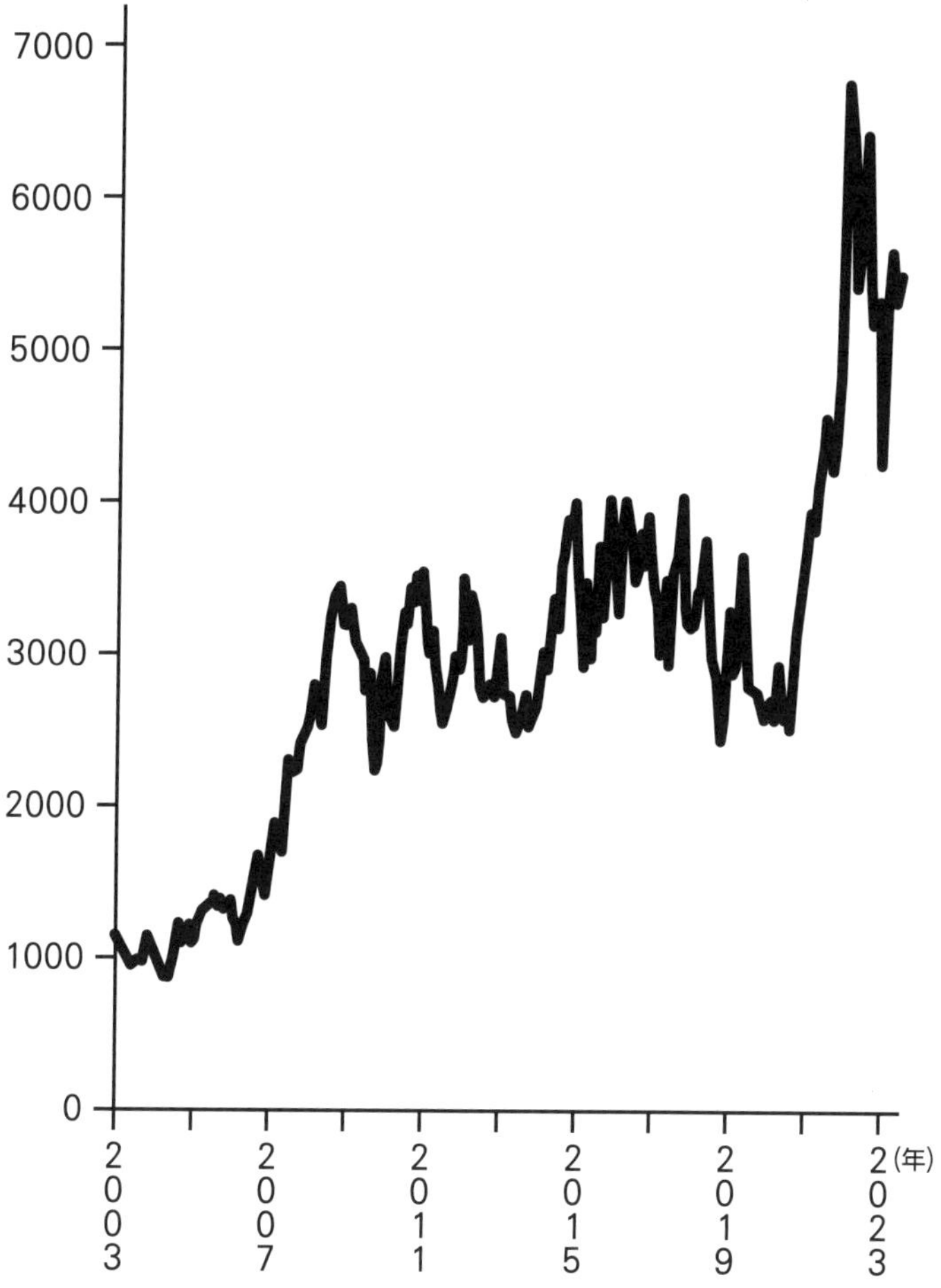

最低投資額は「Tファンド」が一〇万米ドル相当額、「T－ミニ」は一万米ドル相当額となっている。通貨建ての選択肢も豊富で、米ドル、ユーロ、スイスフラン、日本円、英ポンド、豪ドルの各通貨建てで投資可能だ。

②海外口座

海外の銀行口座も、なるべく作っておきたい。国が破産すると、預金の引き出しや海外送金に制限がかけられるケースが多い。海外ファンドなどへの送金も、まずできなくなるだろう。そのような状況下でも、海外口座を保有していれば問題ない。海外口座に事前にまとまった金額を入金しておけば、国内に居ながら銀行にファンドへの送金依頼をすることができる。

海外ファンド解約時の受け皿としても、海外口座は役に立つ。通常、海外ファンドの解約金は名義人の口座であれば、基本的にどの国の銀行にも送金してもらえる。預金封鎖など、国家破産に伴う混乱のため日本の銀行口座で受け取るのが不安という場合でも、海外口座で受け取ることが可能だ。

このように、海外口座は口座の保有自体が国家破産対策に有効であるだけでなく、海外ファンドの購入（送金）や解約（資金受け取り）に当たっても非常に有用だ。可能であれば、ぜひ保有しておきたい。

現在は、キャッシュカードの代わりに「デビットカード」を発行する海外銀行が増えている。キャッシュカード機能を内蔵したデビットカードだ。このデビットカードは、非常に便利な上に国家破産対策としても有効だ。国際的なATM網と提携したキャッシュカード機能があるから、日本国内のATMでも海外口座の預金を引き出すことができる。もちろん、デビットカードによる買い物も可能だ。ビザやマスターなどのクレジットカードの加盟店なら日本を含め世界中どこでも使用でき、預金口座から即時決済される。

国家破産時に預金封鎖が実施された場合でも、外国人が保有するものと同じ海外口座のデビットカードおよびキャッシュカードは、自由に使える可能性が高い。後述する米ドル現金と同様、国家破産時の日々の生活において非常に心強い決済手段となるだろう。

海外銀行の口座開設自体はそれほど難しいものではないが、開設後の口座の管理をないがしろにすると、後々深刻なトラブルに遭いかねない。口座を利用せずに何年も放置していたら預金が国庫に移されてしまい、容易に引き出せなくなったなどということもある。その意味で、安易な海外口座開設は避けるべきだ。無用なトラブルを避けるためにも、やはり海外口座の情報を豊富に持ち、信頼できる専門家のサポートを受けながら海外口座を開設・利用することをお勧めする。

世界には数え切れないほどの銀行があるが、日本に居住する日本人にとって利用価値が高い海外銀行は非常に限られる。銀行の健全性と銀行が所在する国の信用力がいずれも高いのは大前提として、日本語対応もないと利用するのは難しいだろう。安全性が高く、日本語対応があり、日本に居住する日本人にも使い勝手の良い海外銀行は、主に三ヵ所ある。ニュージーランド、シンガポール、ハワイにある銀行だ。各銀行の特徴は一三五ページの図に示した通りだ。もちろん、いずれの銀行もデビットカードを発行している。

日本人が利用しやすい海外口座

シンガポールの銀行

預入額が20万米ドル相当額以上とややハードルが高いが、複数の日本人スタッフが在籍し、日本語対応が非常に充実している。日本との時差がわずか1時間と小さいのもメリット。預金以外にも、株式、債券、ヘッジファンドなど、世界のさまざまな金融商品を扱っており、幅広い資産運用が可能。

ニュージーランドの銀行

日本国内の大手銀行に比べ、ニュージーランドドル建て預金金利が非常に高い。また、南半球にあるため核戦争、災害、テロなど地政学リスクに対する高い安全性が期待できる。残念ながら、2022年12月より非居住者によるニュージーランド現地の銀行口座開設はできなくなった。

ハワイの銀行

複数の日本人スタッフが在籍し、日本語対応が充実している。お勧めできる銀行は2つあり、一行は預入額が10万米ドル（約1,500万円）以上で個別に担当者が付き、さまざまな手続きや質問にも日本語で対応してくれる。もう一行は数百米ドル（数万円）程度の少額から口座開設可能。少額の場合、担当者は付かないが、電子メールを使い日本語で対応してくれる専門部署がある。米ドル預金しかできないが、基軸通貨の米ドルで1人につき25万ドルという世界で最も充実した預金保険を備えており、万が一の銀行破綻時の安心感が非常に高い。

国家破産を生き残る条件――その2「手元に置いてあるもの」

①米ドル現金

「米ドル現金」については、紛失や盗難、災害などの保管上のリスクに十分注意する必要があるが、できれば生活費の一年分、少なくとも半年分くらいは用意しておきたい。金種については、一〇〇ドル札ばかりではなく一ドル札、二ドル札、五ドル札、一〇ドル札、二〇ドル札などの小額紙幣を十分用意しておくべきだ。日本国内では米ドルを発券できないため、紙幣や硬貨が不足し釣銭が満足に出ない状況も想定されるからだ。また、米ドルの流通が本格化するまでには多少の時間がかかるだろうから、日本円の現金も一部必要だ。生活費の数ヵ月分程度の「円の現金」も用意しておくとよい。

日本国内では米ドルは発券できないが、いまや米ドル現金を入手するのは難しくない。外貨両替専門店、金券ショップ、空港の外貨両替所などで米ドルに両替できる。最近は訪日外国人観光客が増えた影響もあり、都市部を中心に多くの外貨両替専門店が営業している。気を付けたいのは、両替にかかる手数料だ。外貨両替専門店の為替手数料は一ドルあたり片道一・五円〜二・五円程度が多いようだ。なるべく手数料が安く、使い勝手の良い業者を選びたい。

外貨両替と言えば銀行を思い浮かべる人も多いと思うが、実はここ数年、国内のほとんどの銀行は外貨の両替サービスを中止している。国内の多くの銀行が外貨両替業務を終了する中、ある銀行では極めて有利に外貨両替が可能だ。条件を満たせば、手数料無料で米ドル現金を入手できる。私が主宰する会員制クラブでは、このように非常にお得な情報も提供している。

②金（ゴールド）

金《きん》の保有も、国内でできる代表的な国家破産対策手段だ。インフレに強く、国家破産のような有事の際にはその価値は大いに高まると考えられる。その上、金《きん》は国際商品のため、実質的に外貨建て資産と言える。ハイパーインフレ（＝

超円安）時には、日本国内の円建て金《きん》価格は相当な値上がりが期待できる。国家破産対策として、金《きん》は必ず保有しておきたい。

しかし、すでに述べたように国家破産という非常時には、偽物が流通することで換金が思うようにできなかったり、国家などに没収されるリスクがある。このような金《きん》の特性を考えると、国家破産対策として非常に有効とはいえ、あまり大量の金《きん》を保有するのはやめた方がよい。資産全体の一割程度に留めるのが妥当だろう。その際、金《きん》は、必ず〝現物〟で保有することだ。大手の地金商など、信頼できる業者から買うことをお勧めする。多くの地金商では、重量別に数種類の金《きん》地金を用意している。売買のしやすさや税制などを総合的に考えて、一〇〇グラム程度の地金を複数購入するのがよい。

③ダイヤモンド

国家破産時における没収など、金《きん》のデメリットを補完し得るのがダイヤモンドだ。ダイヤはカラット（重量）、透明度、色、カットなどの要素により、一つひとつ価格が異なる。専門的な知識、技術がなければダイヤを適正に評価することは難しいため、国家権力のダイヤに対する注目度は相対的に低く、ダイヤが没収されるリスクは非常に低いと考えられる。つまり、ダイヤの保有は金《きん》などの資産没収リスクをヘッジするのに有効、ということだ。

金《きん》と異なり、ダイヤは非常に軽くて小さいので、多額の財産でも容易に持ち運ぶことができる。これまでも特にヨーロッパの富裕層の間で、有事の際にまとまった資産を持ち出す手段としてダイヤは重宝されてきた歴史がある。国家破産対策のみならず、戦争や自然災害などで社会が混乱するような非常時にまとまった資産を持ち運ぶのに、ダイヤほど優れたものはない。国家破産も含め、有事への対策として資産全体の一割はダイヤで保有するべきだ。

資産保全目的の場合は、指輪などのアクセサリーに加工されたものではなく、「ルース」（石単体）が適している。資産価値と流動性とのバランスの観点で、重さが一～二カラット程度で、グレードが高めのダイヤを選ぶとよい。ダイヤの購入にあたっては、品質を保証する鑑定書が付いているものを選びたい。世界にはダイヤの鑑定機関がいくつか存在するが、中でもアメリカの鑑定機関「GIA」（米国宝石学会）の鑑定書が付いているものがよい。

ダイヤの最大の問題点は、売買価格差が非常に大きいことだ。一般の宝飾品店で売られているダイヤの価格は非常に割高で、しかも売却する際の買い取り価格も低い。資産防衛を目的にダイヤを所有する場合、適正な相場で購入・売却ができるルートを利用しなければかえって資産価値が大きく目減りしかねない。残念ながら、そのようなルートがない一般の人にはダイヤの活用は難しい。

私は、数年前にそのルートの一つを開拓することができた。実は、ダイヤには専門のオークション市場が存在する。そこに出入りできる限られた業者を通じて売買できれば、非常に有利な価格でダイヤを売買することができるのだ。もちろんGIAの鑑定書も付いている。私は、自ら経営する㈱第二海援隊に「ダイヤモンド投資情報センター」を開設し、この貴重な情報をご希望の方にお伝えしている。関心のある方は巻末に情報を掲載しているので、ぜひご参照いただきたい。

④国家破産を生き残るために必要なアドバイザーを得る

以上、国家破産対策についてポイントを絞りに絞り、なるべく簡潔に解説した。海外に出した「海外ファンド」と「海外口座」、手元に置いておく「米ドル現金」と「金《きん》（ゴールド）」「ダイヤ」。これら五つの資産を適正な割合で保有すれば、きっと国家破産を生き残ることができるはずだ。

ただ、これら五つの資産については、馴染みがないという方が圧倒的に多いに違いない。そのような人が自力でこれらの対策を実行するのはリスクが大きく、トラブルの元だ。やはり、その分野に精通した専門のアドバイザーの力を借りるのが賢明だ。私自身も、資産運用・資産保全の助言を行なう会員制クラブを主宰している。もちろん、本章で取り上げた国家破産対策手段は、すべて情報提供および助言の対象だ。資産規模別に、「プラチナクラブ」「ロイヤル資産クラブ」「自分年金クラブ」という三つのクラブがある。詳細については巻末のお知らせ（二一三ページ）をご参照いただきたい。

第七章　破産後の日本を大復活させるために

——新・船中八策

日本を今一度、洗濯いたし申し候

（坂本龍馬）

一度破綻した国家は、破綻し続ける

国家は一度でも破綻すると、その根っこが変わらなければ同じ過ちを時を置かずに繰り返すことが多い。

その最たる例はアルゼンチンで、今日に至るまでなんと九回ものデフォルトを繰り返している。二〇二一年六月には一〇回目のデフォルトをなんとか回避したが、それでもまたいつデフォルト騒ぎが発生するかもしれないと言われているほどである。

時を同じくして、二〇二一年頃からハイパーインフレが再燃し始めたトルコも同様である。二〇二二年末のインフレ率は前年比で六四％となり、二〇二三年は七月の中央銀行の発表によると、年末時点でインフレ率が五八％になると予想されている。トルコは一九八〇年後半から何度もハイパーインフレを経験しており、その歴史は数十年に亘る。その度に経済は破壊され、国民は苦渋を嘗《な》めてきたわけだが、それでも根本的な解決がされることはなく、ちょうど今も大混乱の真っ只中にいる。

よくよく考えてみると、このように破綻国家が危機的状況を繰り返すことは仕方がないことである。破綻国家は、国や地方政府のインフラサービスが正しく機能しなくなる。自衛隊や警察官、消防士、救急救命士などを含め治安や生命に関わる機能まで失われ、国民の日常生活が危機的なまでに脅かされることになる。法律や地域のルールが守られなくなり、モラルは低下し、治安は急激に悪化する。暴力や略奪行為、飢餓が発生するなど、国のすべてのシステムが崩壊するのである。

その一度崩壊したシステムを、大混乱真っ只中で立て直すことは並大抵のことではない。日本は太平洋戦争後に国家破綻を経験し、一度すべてを失ってから見事に復興しているが、それはひとえにアメリカの援助と朝鮮戦争の特需による影響が大きい。しかし、さらに歴史を遡《さかのぼ》ると、そのような特殊な外的要因なしに日本では国家破綻の状態に陥ってから自浄作用によってすぐに力強く立ち上がり発展して行くという、世界史上類を見ない事象が発生している。そう、「明治維新」である。

坂本龍馬の〝船中八策〟が明治新政府の指針へ

明治時代の作家、山脇之人の『維新元勲十傑論』によると、明治維新の立役者は西郷隆盛、大久保利通、木戸孝允（桂小五郎）の特に枢要《すうよう》な「維新の三傑《けつ》」のほか、薩摩藩の小松帯刀、長州藩の大村益次郎、前原一誠、広沢真臣、肥前藩の江藤新平、肥後藩の横井小楠、公家の岩倉具視による「維新の一〇傑」が挙げられる。それ以外にも土佐藩の中岡慎太郎、後藤象二郎、板垣退助、長州藩の吉田松陰、高杉晋作、薩摩藩の島津斉彬、公家の三条実美、幕臣の勝海舟……名前を挙げればきりがないほどの人材が、数多く該当する。

そのような優れた人物が綺羅星《きらぼし》のごとく登場したのが幕末から明治にかけての時代で、それによって成された奇跡のような出来事が明治維新である。

そして、何をおいても忘れてはいけない明治維新の立役者が、もう一人いる。その人こそ、坂本龍馬である。犬猿の仲であった薩摩藩と長州藩の仲介役を務め薩長同盟の立役者となり、土佐藩を動かして大政奉還を提言するなど、龍馬が成した功績は大きい。明治新政府ができる前に志なかばで暗殺されたため、維新の三傑や一〇傑には名前が挙がらないが、明治維新の第一の功労者と言われても納得の人物である。司馬遼太郎の小説『竜馬がゆく』の中で、勝海舟に「薩長連合、大政奉還、あれァ、ぜんぶ竜馬一人がやったことさ」と言わしめるほどの人物だ。

その龍馬が成した功績の中で、重要なものがもう一つある。それは、明治新政府の国家構想の基礎となった『船中八策』を提案したことである。船中八策は、文字通り龍馬が船の中で起草した八つに亘る国家提言である。長崎から京都に上洛《じょうらく》する船の中で、京都にいた土佐藩主の山内容堂に大政奉還をうながすために作成した。同乗していた後藤象二郎に口頭で提示し、それを海援隊の隊士である長岡謙吉が書き写したとされている。

船中八策

一、政権を朝廷に返し、
政令は朝廷から出すようにすべし

二、議会を設け議員を置き、
天下の政治は公論で決めるべし

三、公卿・大名の他、
世の優れた人材の中から顧問とし、
従来の有名無実の官を除くべし

四、外交においては広く公議を採用し、
新たに妥当な条約を立てるべし

五、古来の律令を折衷して、
新たに憲法を選定すべし

六、海軍を拡張すべし

七、御親兵を置いて、
帝都を守衛させるべし

八、金銀の物価が外国と釣り合うように
法を設けるべし

口語訳：著者

船中八策の内容を現代語訳すると一四九ページの図の通りだ。龍馬の「船中八策」はたったこれだけの短いものであるが、当時わが国が置かれていた極めて厳しい状況を踏まえた、実に簡《かん》にして要《よう》を得た八策であった。

あいにく、船中八策の原文となる書面は現存していない。ただその新政府の構想について、船中八策を大政奉還後の政局について議論する会議用にまとめた「新政府綱領八策」を龍馬は複数自筆しており、その二枚が今でも国立国会図書館と下関市立長府博物館で大切に保管されている。

この龍馬が起草した新政府構想が、実は形を変えて明治新政府の指針となっている。明治新政府は明治元年一月（一八六八年二月）に、諸外国に対して王政復古と天皇の外交主権の掌握を告げた。そして二ヵ月後の三月に出した「五箇条の御誓文」によって、今後の指針を明確に示したのである。その「五箇条の御誓文」の原案を作ったのは、福井藩の由利公正と土佐藩の福岡孝弟であるが、両者とも龍馬と親しく付き合っており、原案は龍馬の「船中八策」の影響を過分に受けているのである。由利は古くから龍馬と親交があり、暗殺される直前に福井を訪れた龍馬と国の将来を語り合っている。福岡は、龍馬の海援隊や中岡慎太郎の陸援隊と提携し、幕末を共に活動していた仲間である。

「五箇条の御誓文」は、明治元年三月一四日に明治天皇が京都御所に集めた公卿・諸侯以下百官に対し、明治新政府の基本方針として天地の神々に誓ったものである。明治神宮のホームページに「五箇条の御誓文」とその意訳（口語文）が掲載されているので、内容のわかりやすい意訳部分のみを一五五ページに転記しておこう。「船中八策」と比べるとやや抽象的であるが、人によっていろいろな解釈ができるという点で具合がよい。

そして何より、江戸幕府が倒れ混沌《こんとん》としている中で一番の目的である、「人々に希望を与える」という点では大成功であったという。

国家破産から立ち上がるために

繰り返しになるが、国家破産とは国のすべてのシステムが崩壊することであ

「新政府綱領八策」

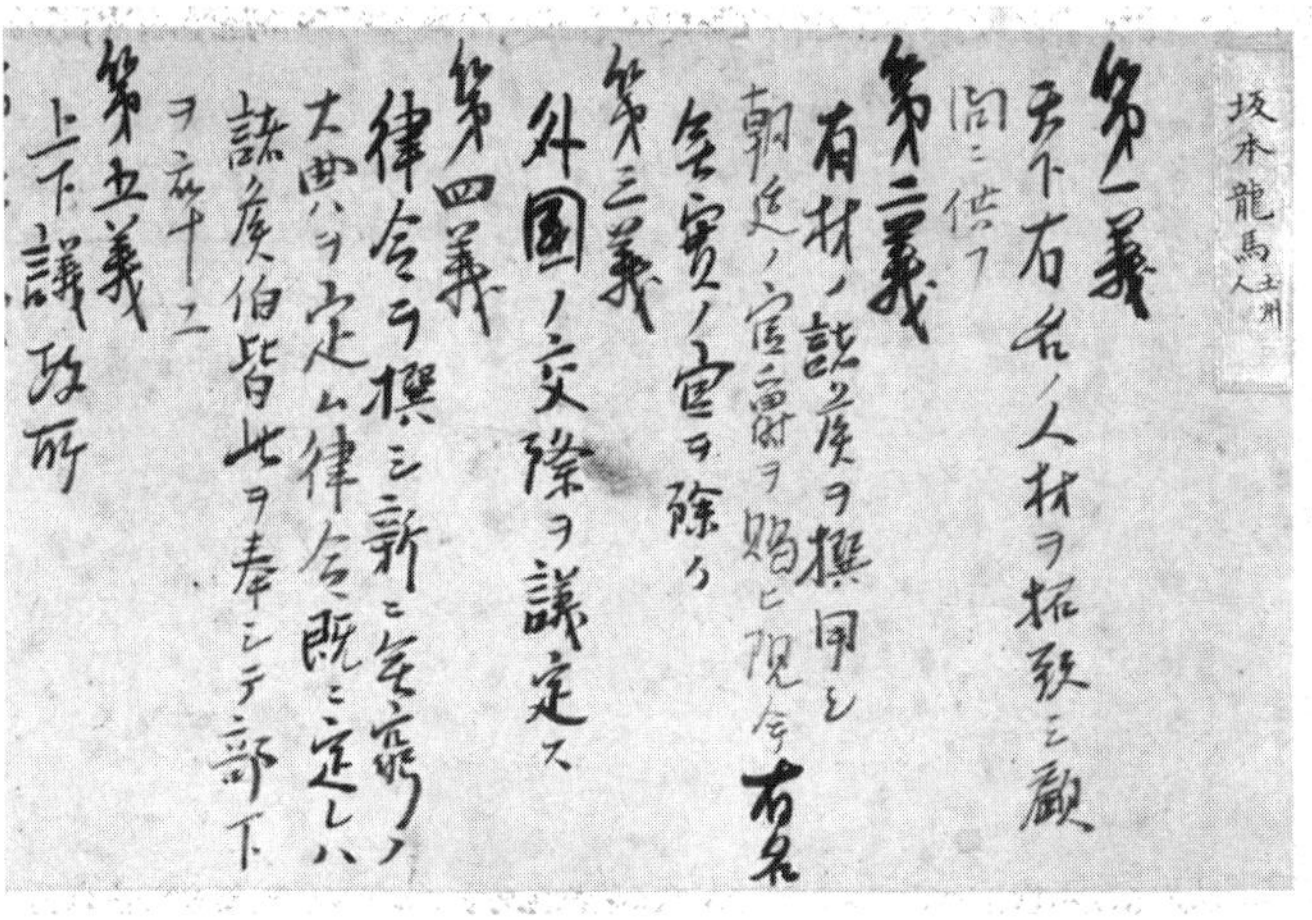

示したもの。実際、明治新政府の指針となった。

（国立国会図書館蔵）

坂本龍馬自筆の

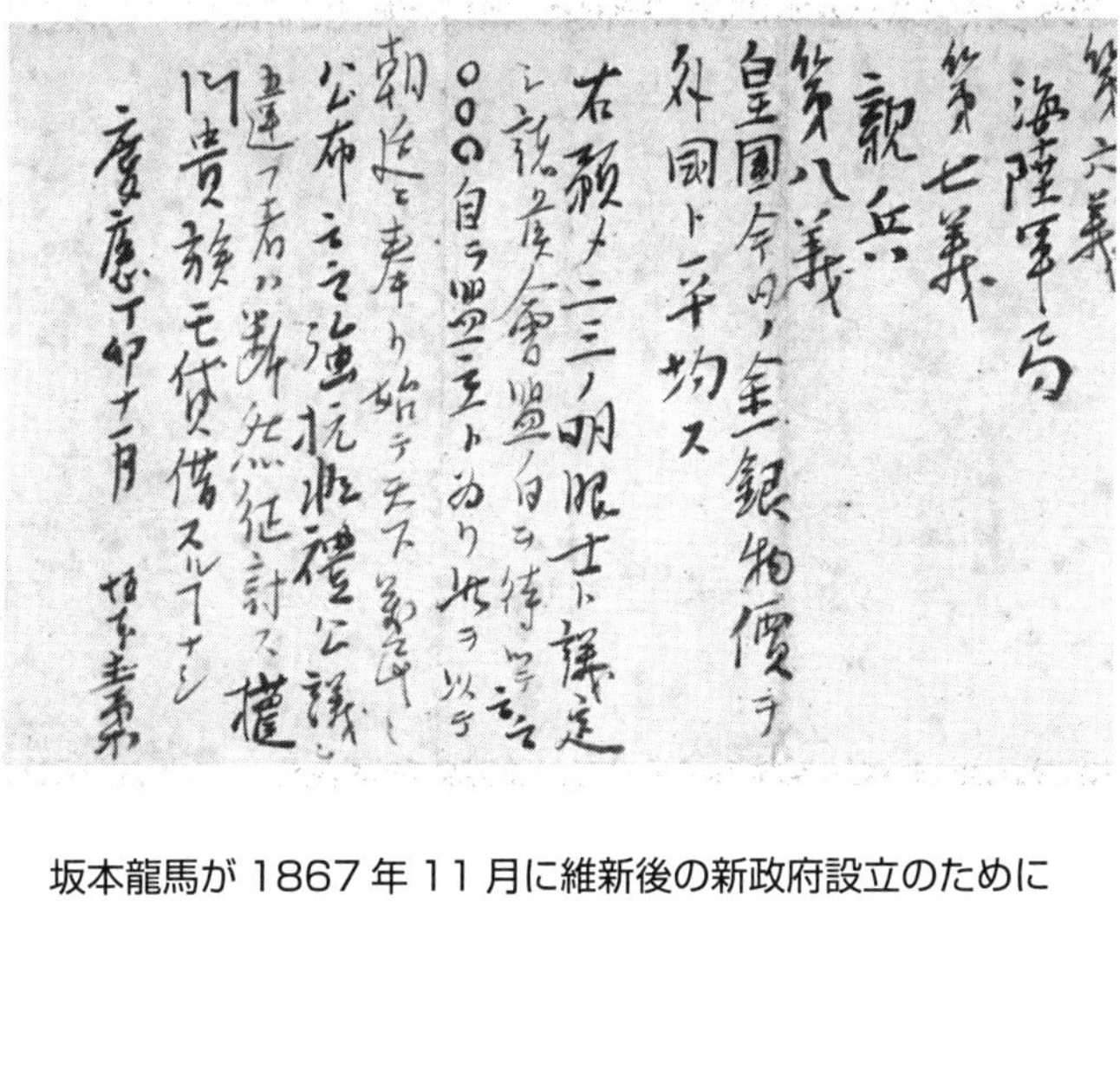
第六義
海陸軍局
第七義
親兵
第八義
皇国今日ノ金銀物価ヲ
外国ト平均ス
右預メ二三ノ明眼士ト議定
シ諸侯会盟ノ日ヲ待ツ云々
〇〇〇自ラ盟主ト為リ此ヲ以テ
朝廷ニ奉リ始テ天下万民ニ
公布云々強抗非礼公議ニ
違フ者ハ断然征討ス権
門貴族モ貸借スル事ナシ
慶応丁卯十一月　坂本直柔

坂本龍馬が 1867 年 11 月に維新後の新政府設立のために

る。法律もルールもぐちゃぐちゃになる。そんな中で、まず必要になるのが新しい方向を示す〝強力な指針〟だ。それがあることで、国民が右往左往迷うことなく、同じ方向に向いて歩き出すことができるのである。

明治新政府は、維新後わずか三〇年弱で迎えた日清戦争に見事に勝利を収め、その一〇年後には当時列強諸国からも恐れられていた大国ロシアに勝利することができた。明治維新というと聞こえは良いが、すでにお伝えした通り実態は江戸幕府の〝瓦解〟であり、すべてがゼロの状態まで崩壊していた。にも関わらず明治新政府がわずかな年数で列強諸国に肩を並べることができたのは、やはりすべての国民に対して〝明確な指針〟が示されていたためであろう。

つまり国家破産後、ぐちゃぐちゃな状況が長期化するのを避けるためには、国民が進むべき方向をきちんと指し示すためのビジョン、そして新しい国・政府を創る明確な指針が必要なのである。指針がなければパニックは長期化し、一旦収まったように見えても根本的に解決することはなく、再度問題が噴出するのである。

「五箇条の御誓文」意訳（口語文）

一、広く人材を集めて会議を開き議論を行い、大切なことはすべて公正な意見によって決めましょう。

一、身分の上下を問わず、心を一つにして積極的に国を治め整えましょう。文官や武官はいうまでもなく一般の国民も、それぞれ自分の職責を果たし、各一、自の志すところを達成できるように、人々に希望を失わせないことが肝要です。

一、これまでの悪い習慣をすてて、何ごとも普遍的な道理に基づいて行いましょう。

一、知識を世界に求めて天皇を中心とするうるわしい国柄や伝統を大切にして、大いに国を発展させましょう。

一、これより、わが国は未だかつてない大変革を行おうとするにあたり、私はみずから天地の神々や祖先に誓い、重大な決意のもとに国政に関するこの基本方針を定め、国民の生活を安定させる大道を確立しようとしているところです。皆さんもこの趣旨に基づいて心を合わせて努力して下さい。

（明治神宮ホームページより）

今の日本においては、国家破産はすでに近い将来に間違いなく起こるという状況にまで突き進んでおり、もはやその被害をどれほど少なくできるか、どれほど短期間で収束できるかということが焦点である。

すでに、とめどもない円安が進行しつつあり、事態は緊迫の度合を増して来ている。そんな中で、国家破産をなるべく長期化させることなく、すぐに国家を復興させ、国民生活がなるべく早く安定するように次の時代の指針を作成することが喫緊《きっきん》の課題なのである。もし、坂本龍馬が今の時代を生きていたなら、迷わず新しい時代の指針作成を行なったであろう。

そこで今回、私は坂本龍馬の意思を引き継ぐべく〝第二の海援隊〟を作り上げた立場から、僭越ながら「新・船中八策」なるものを起草した。今の時代に合わせた内容で、混沌とした新しい時代を引っ張るための大きな指針になり得るものと考えている。

では、その「新・船中八策」を一五八～一五九ページに実際に見て頂こう。これがまったく新しい〝この国のかたち〟新国家戦略ともいうべき「新・船中八策」だ。そしてさらに、「一七の具体的な提言」なるものを一六〇～一六三ページにまとめたので、お読みいただきたい。そして、この項の最後に日本の国家としてのシステムをどう変えたらよいのかについて一六四～一六五ページに一枚の図を掲げておくので、ぜひ参考にしていただきたい。

ユナイテッド・ステーツ・オブ・ジャパン（U・S・O・J）

「新・船中八策」並びに「一七の具体的な提言」をご紹介したが、人によっては「かなり過激だ」あるいは「現実的ではない」とお感じになった方もいるかもしれない。しかし、日本をどん底から再び大復活させるためには、政府や体制をまったく別のものに変えるくらいの革命的な変革が必要である。「新・船中八策」の中に登場する「ユナイテッド・ステーツ・オブ・ジャパン」（U・S・O・J）もその大きな変革の一つである。

「ユナイテッド・ステーツ・オブ・ジャパン」とは、これまでの日本において

「新・船中八策」

五、世界のほかのどこにもない〝まったく新しい独自の民主主義体制〟を考え、実現させる。元首は天皇のまま、首相を国民の直接選挙で選出することにより、国民の政治への関心を飛躍的に高めることができる。米大統領と同じく任期四年、最大二期とし、現在より大きな権限を与えて改革を断行させるべし。

六、革命的な少子化対策を実行し、子供の数を劇的に増やす一方、高齢者への社会保障のコストには大ナタを振るい持続可能な方法を国民と一緒に追求する。また公教育も大改革して、イノベーション力を持つ魅力的人材を育成する。

七、高度人材が海外へ逃げて行く現在の日本の税制を根本から見直し、高すぎる最高税率を下げ、逆に税金を払わない人の数を大きく減らす（消費税の益税の廃止、その他）ことにより税収を増やす。また全員が税金を払うことにより税制についての国民の関心を高める。

八、日本人が苦手とする危機管理に関する教育を国家ぐるみで行ない、そのスペシャリストを養成し、さらに危機管理庁の設置による有事（戦争、パンデミック、大災害、他）への即応態勢を強化し、国民の安全を守る。

（補足）自衛隊の根本的改革を実現し、戦える自衛隊を目指す。

新しい時代の指針

悪しき旧弊を拭い去り、明治維新以来永きに亘った中央集権制度および政・官主導の弊害を一掃すべく、勇気ある大改革に総力を挙げて取り組むべし。それをなし遂げなければ、この国に未来はないと思え。そのために、

一、民度の底上げを実現し、国民がばら撒きを求めるのではなく、辛くて厳しい「本物の改革」を受け入れる下地を作るべし。

二、次の時代を切り拓く、イノベーション（革新的技術）力を国家として付ける方策を考えよう。

三、政府の借金をひたすら膨張させ続けてきた体質、やり方を改善し、財政破綻を回避するための策を緊急に講ずべし。

四、現在の中央集権、東京一極集中を改め、本格的道州制へ移行する。地方分権をはるかに超えた独立国家の集合体としてのユナイテッド・ステーツ・オブ・ジャパン（U･S･O･J）を実現する。各州ごとに独自の税制（税率）、法律を持ち、相互に競争させる。

「17の具体的な提言」

【6】記者クラブ制度を廃止し、独自の取材能力を失ったマスコミの復活を目指す。=【四権分立の復活】

【7】政府の行動を厳しく監視し、チェックするための「オンブズマン制度」を整備する。=【従来の形だけのチェック機能を一変する】

【8】中央政府は外交、防衛の2つを任務とし、さらに社会保障・医療の大枠のみ州政府に示す。それ以外のものはすべて州政府にまかせる。=【完全な地方自治の確立】

【9】州知事、首相とも直接投票によって選出されるようにし、国民の関心を高められるようにする。任期は各4年。=【直接投票】

【10】政治家、官僚の腐敗を監視する特別Gメンを創設する。=【腐敗、汚職の徹底取り締まり】

【11】税制を抜本的に改革する
①所得税(個人)と法人税の最高税率を10～15%下げる。
②逆に税金を払わない個人、法人をゼロにし、最低でも10%の課税をする。それによって政治への関心を喚起する。
→全員(年金生活者は?)が負担するというニュージーランド型の税制にする。10%負担は消費税を上げることによってできる可能性も。

〈続く〉

新国家戦略

【1】まったく新しい憲法を制定し、権利だけでなく、国民の果たすべき義務について明確に規定、文章化し、世界にも珍しい章典とする。それによって、安易なばら撒きを求めない覚悟を国民に迫り、財政の健全化も実現する。

【2】さらに、敗戦国という立場でアメリカから与えられた戦後憲法を根本から見直し、真の独立国家としての立場を明確にする。それと併行して、米軍の補完部隊としての自衛隊を大改革し、米軍に頼らずに自力で日本を防衛できる能力を付ける。

【3】国家の構造を根本から一新するため、道州制を導入し、強力な権限を州知事に与える。州ごとに独自の税率、教育システム、成長戦略、社会保障制度を作り上げ、州同士を競争させ、それによって日本の全体の経済力と活力を底上げする。

【4】バブル崩壊後、30 年以上に亘って、停滞した日本経済を新しい成長戦略路線に乗せるべく、民間活力をいかに使うべきかを考える。

【5】そのためにも、レーガン大統領がやったような強力な自由化と規制の大幅撤廃を実現。【4】と【5】によって、経済の本来の自浄作用である創造的破壊（シュンペーター）と自然淘汰を押し進める。=【痛みの伴う大改革とゾンビ企業の退場をせまる。新陳代謝を促進する】

「17の具体的な提言」

【14】学校教育の根本的改革

20年後のイノベーション力あふれる国家を実現するために、子供の個性とやる気を引き出す教育へ舵を切る。

→各州ごとにまったく異なる、多様性あふれる教育内容にする。そのためにも現在の文科省は廃止し、まったく新しい人材によるまったく新しい組織を作る。

【15】国民自体の再教育

①国民の権利と義務の「義務」の部分をしっかり認識してもらう。

②改革には「犠牲」が伴うことも認識してもらう。

③イノベーションと成長戦略がないと無資源国家日本は亡びることを認識してもらう。

【16】財政は中央政府も州政府も必ず無借金でやることを明文化し、実行する。

【17】海外の参考例を国家として徹底研究する

教育 ➡ フィンランド、オランダ

地方自治 ➡ スイス、アメリカ

税制 ➡ シンガポール

官僚 ➡ シンガポール

防衛 ➡ スイス

※明治初期の岩倉視察団のようなものを作る。

新国家戦略

〈続き〉

③税収の分担

・中央政府 ──→ 消費税 ─── 中央と州で折半
▼
全国一律にし、生活必需品は－10％

・州 ──→ 所得税、法人税
▼
州の権限で独自の税率を決められる。
それによって州ごとに競争。
ただし、借金は一切認めない。

【12】移民政策の大転換

少子高齢化を解決し、成長戦略を実現するために、国家を挙げて世界中から優秀な人材の日本への移民を推進する。そのために「移民省」を設立する。移民しやすい制度を作り、逆に不法移民は厳しく取り締まる。

→永住権その他の付与はニュージーランドを参考とする。

【13】少子化対策のやり方を革命的に変える。

子供を１人でも育てると、結局親が儲かるシステムにする。特に２人、３人と増えるごとにさらにその額を加算する。そのことによって、親の将来の生活不安をなくす。

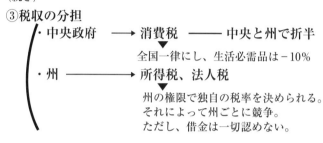

将来の日本のあるべき姿

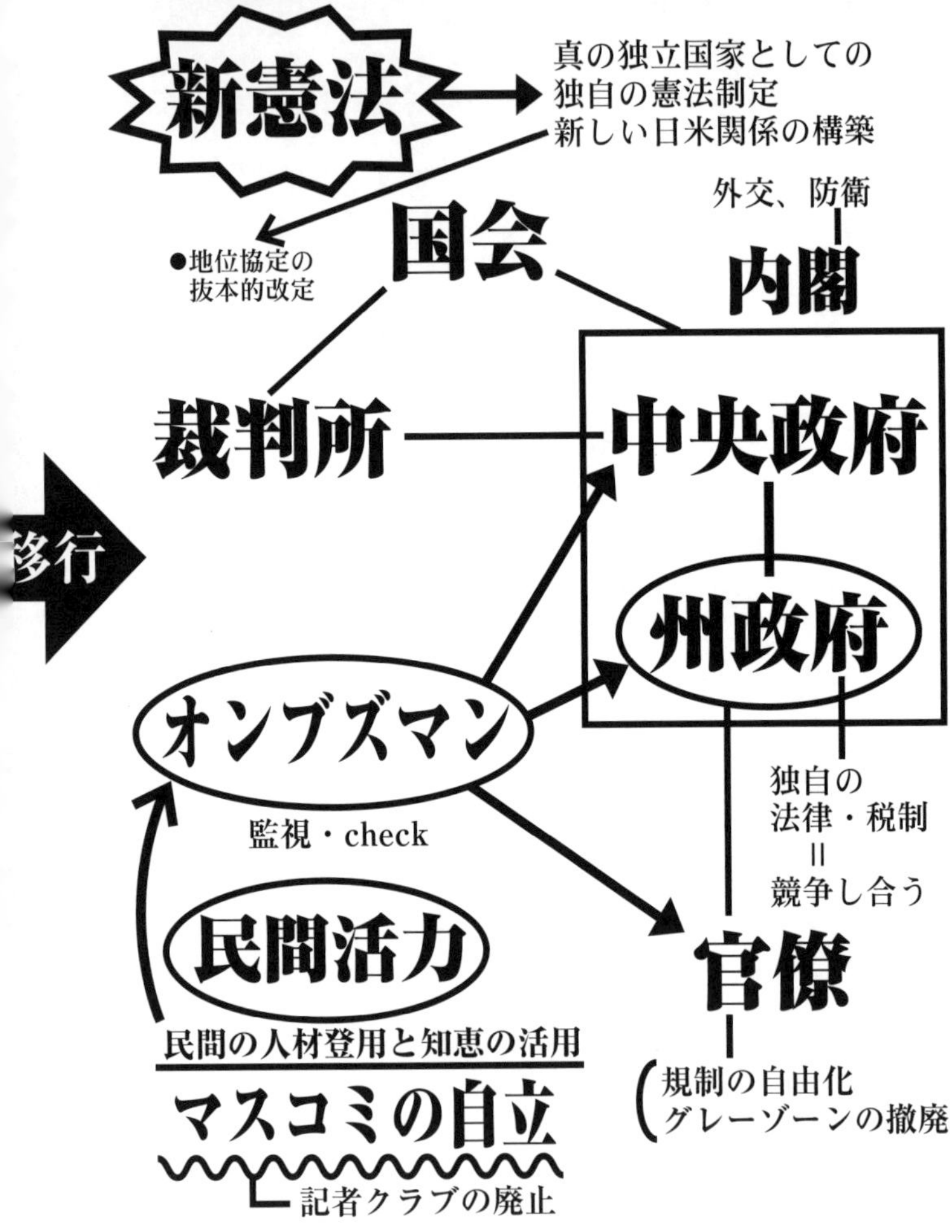

2022.8.16　©浅井隆

現在の日本国の権力システム

アメリカに作らされた、時代遅れで
しかも敗戦国としての **憲法**

※形上は三権分立だが、実際に本当の権力を持つのは◯印

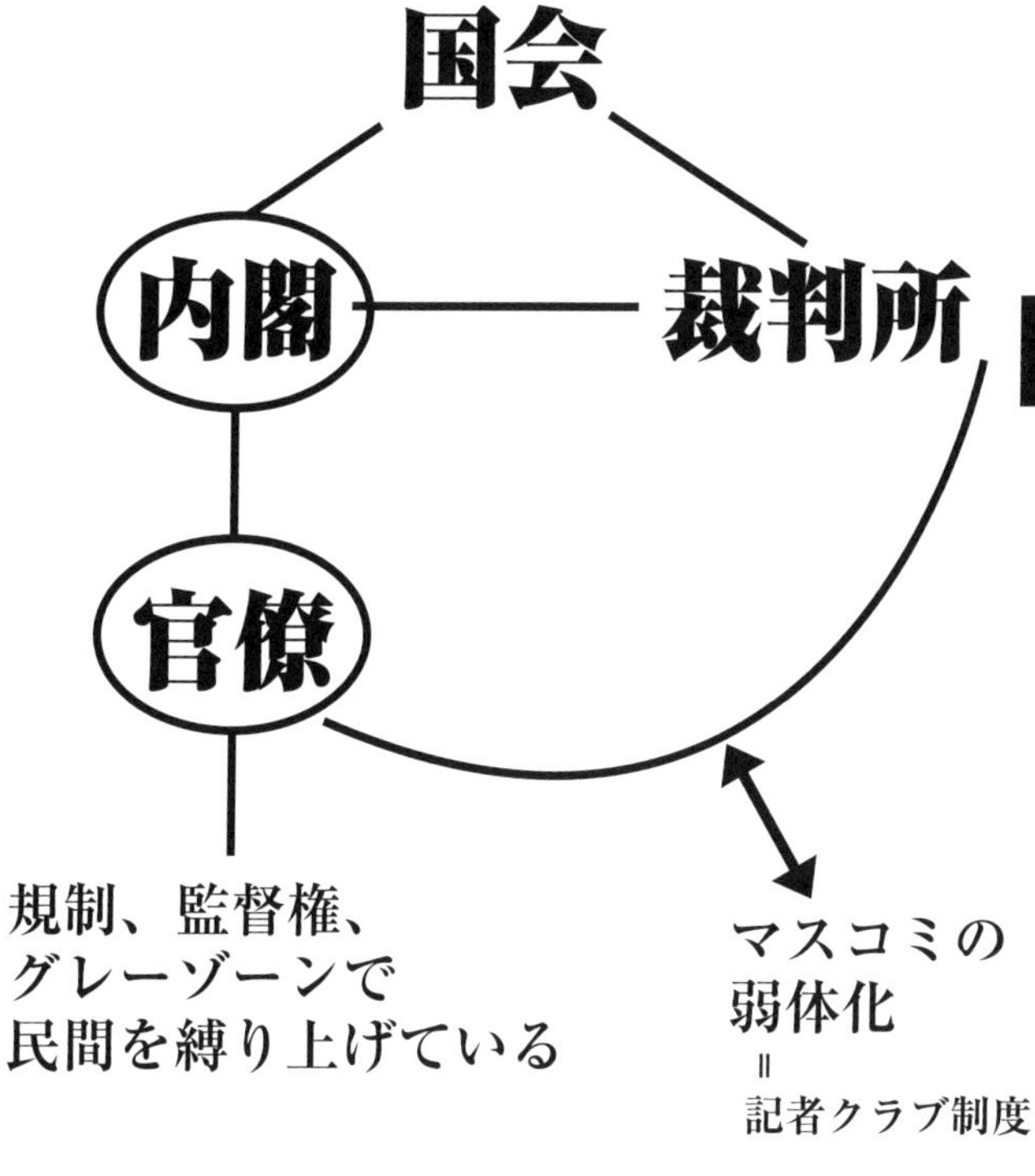

時代の節目で何度か議論されて来た「道州制」のことだ。日本を「北海道州」「東北州」「関東州」「東京州」「中部州」「関西州」「中国・四国州」「九州・沖縄州」の八つの州にわけて、それぞれに「一独立国家」レベルの大幅な権限を持たせるのである。州のわけ方は、一六七ページの図の通りである。

このように州をわけることで、それぞれの気候や風土、既存産業などを活用しつつ、独自の創意工夫によってその州を活性化させるのである。これが、今求められている多様化社会に繋がることにもなる。さらに独自の税率、教育システム、成長戦略、社会保障制度と、できる限り州により行政がすべて完結することを前提とし、その上で国家として最低限の統一性を保持する必要がある分野（外交、防衛、通貨など）を中央政府が司《つかさど》るのである。

中央政府と州政府の権限の分担をどのようにするのかについては、アメリカやドイツ、スイスの連邦制における分権体制を参考にした。一覧表でまとめた図を、一六九ページに載せておくので確認してほしい。

道州制のポイントは州ごとに独自の法律、税制、住民サービスで競り合い、

日本を8つの州に再編

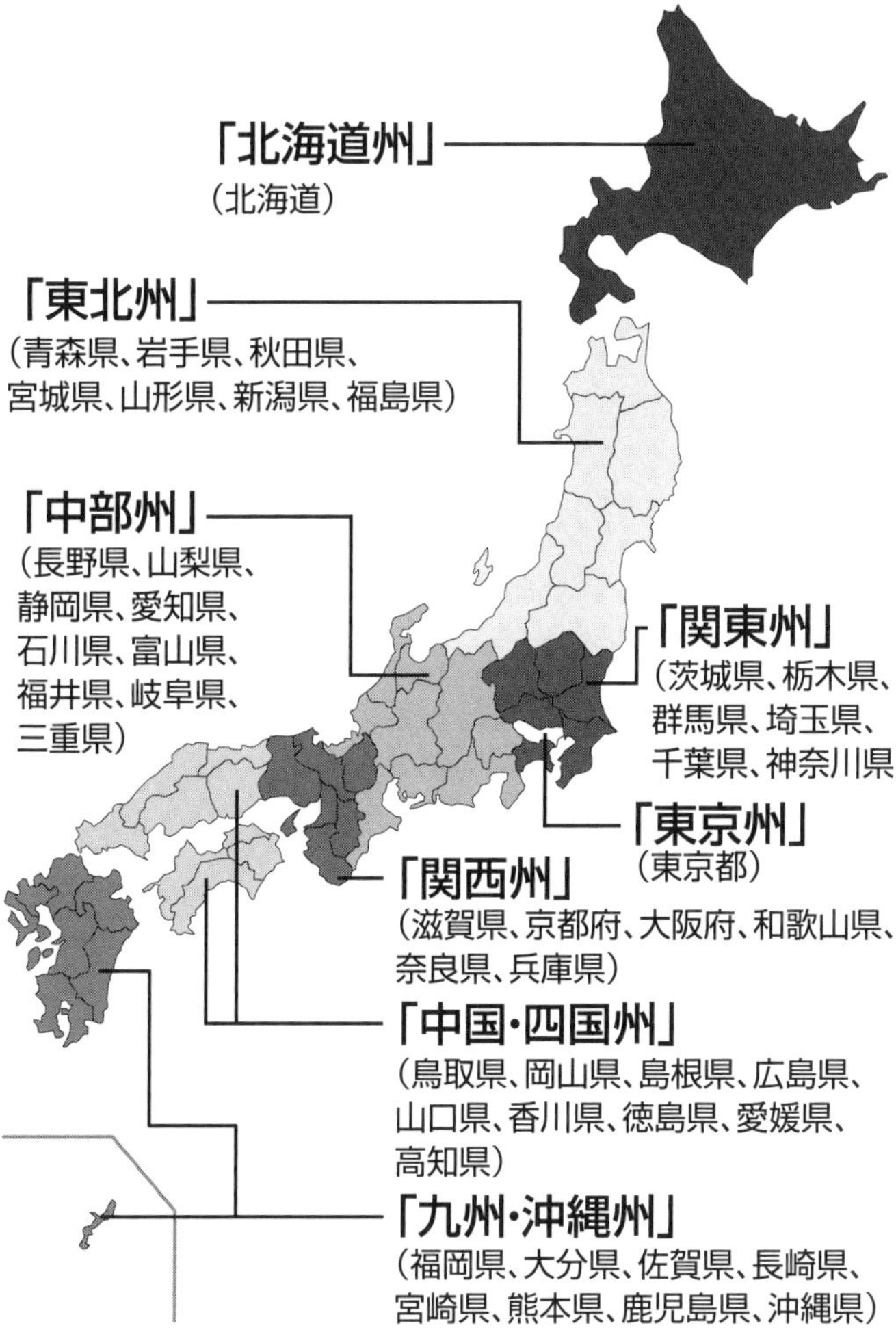
「北海道州」
（北海道）
「東北州」
（青森県、岩手県、秋田県、
宮城県、山形県、新潟県、福島県）
「中部州」
（長野県、山梨県、
静岡県、愛知県、
石川県、富山県、
福井県、岐阜県、
三重県）
「関東州」
（茨城県、栃木県、
群馬県、埼玉県、
千葉県、神奈川県）
「東京州」
（東京都）
「関西州」
（滋賀県、京都府、大阪府、和歌山県、
奈良県、兵庫県）
「中国・四国州」
（鳥取県、岡山県、島根県、広島県、
山口県、香川県、徳島県、愛媛県、
高知県）
「九州・沖縄州」
（福岡県、大分県、佐賀県、長崎県、
宮崎県、熊本県、鹿児島県、沖縄県）

互いに切磋琢磨して日本全体を活性化することにある。全国一律、中央頼みといった現状を根本から変えようとするものである。ある意味、明治維新以来一六〇年振りの大改革である。

州に大きな権限を持たせるわけだが、これは現在の日本の首都である東京一極集中に変えて、単に八つの州のそれぞれ中心都市に大きな権限を委譲させることを意味するわけではない。たとえば、中部州の中で一番大きな市は愛知県名古屋市だが、そこで中部州のすべての行政を行なうのではない。州政府は、国から移譲された権限を今度は市町村にできる限り委譲するのである。より細部へと権限を委譲することで、これまで国↓地方（州・都道府県）↓市町村というトップダウンで管理していた体制を、市町村↓地方↓国のボトムアップ型で運営するのだ。

こうすることで、行政に対して国民一人ひとりに自覚が生まれる。問題が発生した時も「上にいる誰かがなんとかしてくれる」と他人事でとらえるのではなく〝自分のこと〟としてとらえ、自分たちの実力に見合ったやり方で自己解決

中央政府と州政府の権限の分担

主に中央政府の「立法、執行権限」

・国防　・外交　・金融　・通貨　・通信
・広域交通　・関税　・憲法　・統計
・州間調整（州の監督権を含む）

中央政府と州政府の共同による「立法、執行権限」

・刑法、民法、商法、労働法など　・環境保護
・農業保護　・原子力　・危機管理（天災・疫病など）
・税制（主に消費税、酒税、自動車税など）

主に州政府の「立法、執行権限」

・税制（主に法人税、所得税、特別税）　・選挙　・財政
・公共事業　・産業政策（農、魚、畜、工、商など全般）
・警察　・消防　・教育　・労働政策
・社会保障　・医療、公衆衛生
・都市計画、景観保全　・河川、国土開発
・交通　・文化　・観光　・宗教

するのである。そこでは、本当の意味での自治が行なわれることになる。

国民一人ひとりが少しずつ知恵と労力を持ち寄って自分達の住む地域を良くしようという意思こそが、これからの地方政治には求められる。また、その意識が集合して初めて州が輝き、日本が明るくなって行くのだ。

初めは慣れないことに苦労するかもしれないが、その先には地元への愛着と人々の活気という、国の補助金などでは決して得ることのできない〝大きな果実〟が待っていることだろう。

日本は大復活し、理想の国家体制へ

「ユナイテッド・ステーツ・オブ・ジャパン」「道州制構想」の他にも、「新・船中八策」ではあらゆる面から日本が今後進むべき方向を示している。これを実際に遂行するとなると、道州制構想で見たように完全に現体制をぶち破る大改革を行なうこととなり、強烈な痛みと大混乱を伴うことになる。また、今すぐに実行しようとしても、既得権益に阻《はば》まれるなどでまず不可能である。

ただ、日本が国家破産でぐちゃぐちゃになれば、ゼロベースの状態から新しい体制を組み上げることができるチャンスが到来するわけで、「新・船中八策」に則った柔軟性のある理想の国家体制を築き上げることも可能となる。当然、それまでの体制とはまったく異なるものだから、至るところで戸惑いや混乱がわき出るだろうし、多くの難易度の高い調整を必要とするだろう。

しかし、それでも挫けることなく実行することは、必ずや日本国民とこの国の未来にとって良い結果をもたらす。一部の政治家や官僚に国や地域や暮らしを丸投げするのではなく、国民一人ひとりが主体となって「この国を創る」という気概こそが、本当の意味でこの国の未来を創る元となるだろう。

かつて、幕末に坂本龍馬がぶち上げた「船中八策」の〝令和版〟が、今こそ必要なのだ。今回解説した「新・船中八策」と「一七の具体的な提言」は、あくまで叩き台である。これが多くの人の目に触れて、中身について吟味され、議論されながら昇華されて行くことを強く望みつつ、この章の筆を置こう。

第八章　今必要なのは〝国を守る精神〟だ

——ウクライナvs日本

剣は折れた。だが私は折れた剣の端を握ってあくまで戦うつもりだ。
（シャルル・ド・ゴール）

国のために戦う気がない日本人

「『国の為に戦う』と答えた日本人は僅か一三％：崩壊が約束された日本」――二〇二三年一月一五日、貿易コンサルタントで国際政治外交研究家の白石和幸氏は言論プラットフォーム「アゴラ」への寄稿で、「国のために戦いますか」という一八歳以上を対象にした調査において、日本人が世界で最低の一三・二％しか「はい」と答えた人がいなかったことに触れ（ちなみに「いいえ」と答えた人は四八・六％）、平和ボケも甚《はなは》だしいと一喝。他国から侵攻を受けても国を守るために立ち上がらないということは、（将来的な）崩壊が約束されたも同然だと断じた。

事実、「世界価値観調査」（世界の約一〇〇ヵ国で行なわれる大規模な意識調査プロジェクトである）が実施した「自国のために戦う意思」があるかどうかについての最新の世論調査の結果が、ここ日本で波紋を広げている。前述したように、日本人で「はい」と答えた人の割合は一三・二％と世界七九ヵ国中で最低を記録したからだ。この世論調査に対してインターネット上では、「質問が短絡的だ！」とか「兵役がないから当然だろう」といった批判的な意見が相次いだが、私から言わせるともはや調査の信ぴょう性を論じるまでもない。間違いなく、現代の日本人からは〝国防の意識〟が欠落している。

これはあくまでも私の経験に基づいた自説ではあるが、ここ日本では、人との会話で〝国防〟が議題に上ることが、まずない。政治についての話題も、圧倒的に少ないように思う。多くの日本人にとって国防や政治は、他人事でしかないようだ。

戦後の日本人からは〝公〟の精神、すなわち人や社会に尽くすという精神が失われたのではないかと強く感じる。私はその最大の原因が教育にあると思っており、戦後は「集団」を軽んじ「個人」ばかりを重んじる教育が定着した。私は、何も全体主義や戦中への回帰を望んでいるのではない。要は、バランスの問題だ。昨今の日本社会では、「個」が重視され過ぎていると思っている。現代の日本人から〝公の精神〟が欠落してしまったことを真に憂いでいるのだ。

私の最も尊敬する偉人の一人に、吉田松陰がいる。その松蔭の幼い頃に教育を施した、玉木文之進《たまきぶんのしん》という人物の公にまつわるエピソードを披露したい。玉木文之進は松陰の叔父であると同時に、かの有名な「松下村塾」の創設者だ。また、少年期の松陰に兵学を指導すると共に武士道（ある意味の公の精神）を叩き込んだ人物であり、それを物語る壮絶な逸話がある。ちなみにこの玉木文之進は、日露戦争で活躍した乃木希典の指導者でもある。

ある夏の日、農作業をする文之進の傍らで読書中の松陰が、つい頬《ほほ》の汗を掻《か》いた。それを見た文之進は、「貴様、それでも侍《さむらい》の子か」と叫ぶなり怒り狂い、八歳の松陰に対して、気絶するほど殴る蹴るの折檻《せっかん》を加えたという。当時、この光景を見ていた家族が、あまりの暴力のひどさにむしろこのまま松陰が死んでしまった方が楽ではないか、と思ったほどそれは壮絶なものであった。

体罰を加えた文之進の言い分は、「侍とは、公のために尽くすものであるという以外の何ものでもない」ということである。「読書は、社会のために役立つ自

答えた人が世界で最も少ない日本人

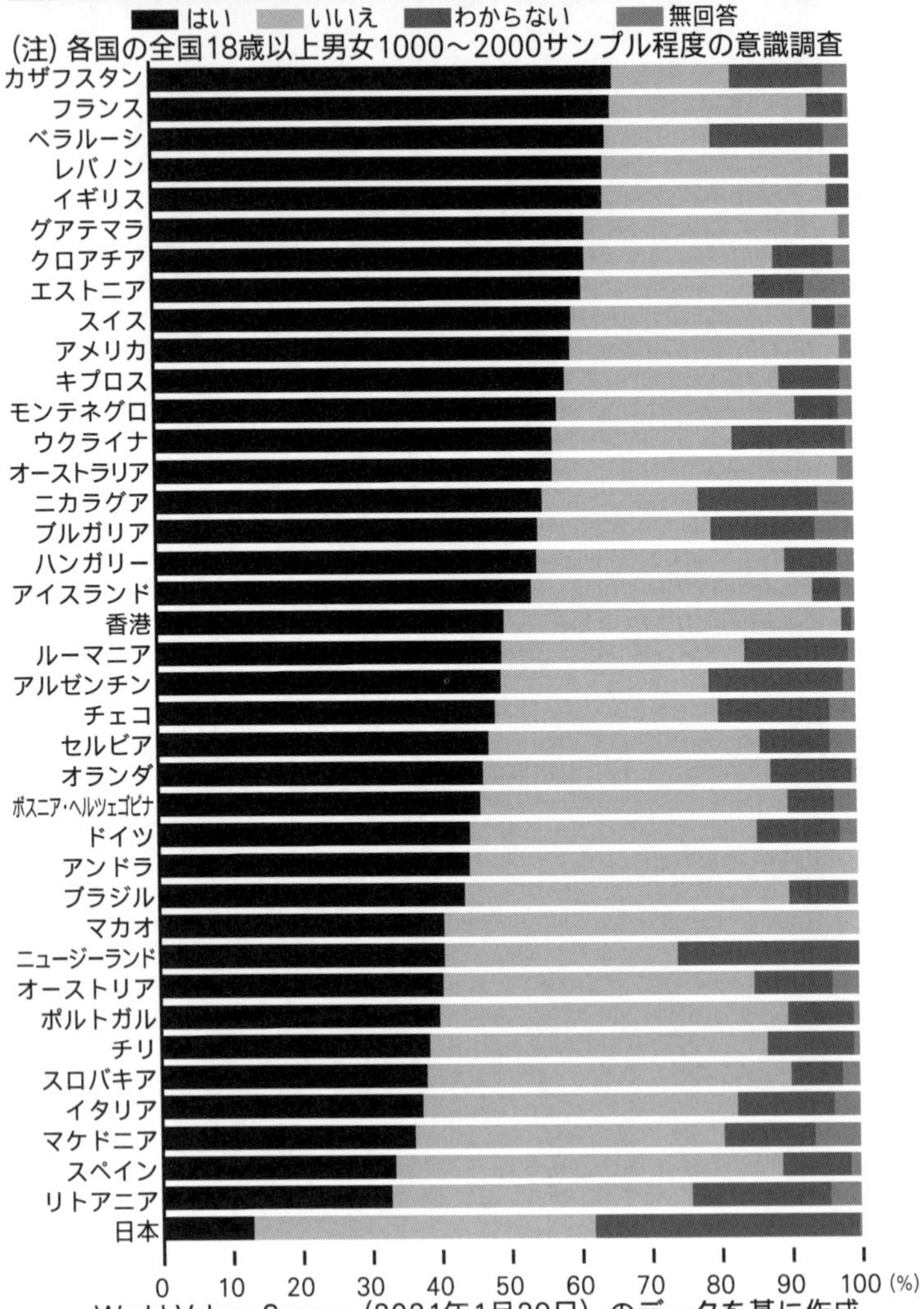

World Values Survey（2021年1月29日）のデータを基に作成

「国のために戦いますか」に「はい」と

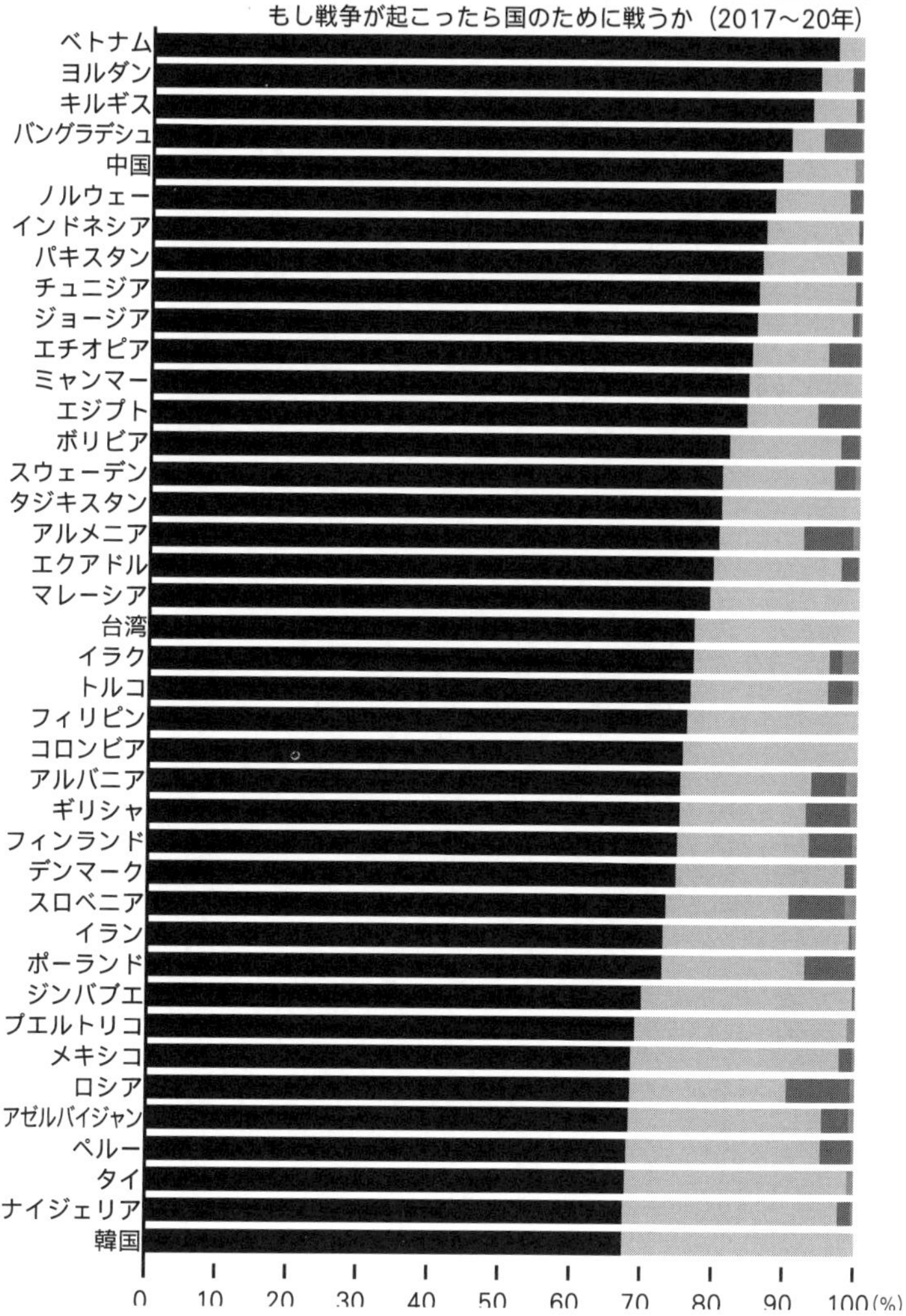
もし戦争が起こったら国のために戦うか（2017～20年）
ベトナム
ヨルダン
キルギス
バングラデシュ
中国
ノルウェー
インドネシア
パキスタン
チュニジア
ジョージア
エチオピア
ミャンマー
エジプト
ボリビア
スウェーデン
タジキスタン
アルメニア
エクアドル
マレーシア
台湾
イラク
トルコ
フィリピン
コロンビア
アルバニア
ギリシャ
フィンランド
デンマーク
スロベニア
イラン
ポーランド
ジンバブエ
プエルトリコ
メキシコ
ロシア
アゼルバイジャン
ペルー
タイ
ナイジェリア
韓国
0
10
20
30
40
50
60
70
80
90
100(%)

分を創る行為であるので『公』とされる一方、類の痒みは『私』であり、掻くことは『私』の満足だ。読書という『公に役立つ自分』を創っている最中に『私の満足』をはかることを許せば、公的な役人になった時、私的な利益のために賄賂をもらうような悪人になる」と文之進は言う。個人の権利ばかりが主張される現代から見れば、恐るべき教育だ。

ご存じのように、日本人の協調性の高さは世界からもしばしば称賛される。このことは、大いに誇《ほこ》ってよい。しかし日本の社会で暮らしていると、現代の日本人から公の精神がいかに失われてしまったかを気付かずにはいられない。電車の中一つとっても、個人を優先させる態度ばかりに辟易とする。同様の危機感を持っている人は、私のほかにもいるはずだ。

その代表例が、国防についての意識の低さにある。本音で言うと、ほとんどの日本人にとって国防は完全に他人事であり、当事者意識のかけらもない。そのことが冒頭の調査結果につながっている。しかも、「はい」と答えた人の割合が世界で最低だったのは、今に始まったことではない。かれこれ十数年、同じ結果となっている。裏を返すと、現代の日本はこうまでも平和なのだ。それは日本の安全保障がアメリカの庇護下にあるということが大きく関係しているが、それが未来永劫に続くという保証は決してない。

社会学者の古市憲寿氏は、二〇二二年四月一四日のデイリー新潮において、先の「世界価値観調査」の結果に触れながら「戦後の平和教育の成果もあり、日本は、世界で最も国家のために戦おうとする人が少ない国となった。好戦的な人々は『平和ボケ』と非難するだろうが、それは日本が幸福な環境にあったことを意味する」と指摘。その上で、「では、これからも日本は『平和ボケ』を享受できるのだろうか。近未来にあり得るシナリオとして、アメリカがモンロー主義、孤立主義の時代に戻り、在日米軍を撤退させる可能性がある。その時、日本は中国とロシアと対峙するために重武装国家への道を歩むのか。それともあっさりとパクス・シニカ（中華治世）にのみ込まれるのか。どうしても世界中と仲良くする方法を考えてしまいたくなるが、そうも言っていられない厳しい時代が訪れそうだ」とした。

昨今の地政学リスクの高まりは、本物である。私は、向こう一〇年以内にこアジアで（しかも日本も巻き込まれる）紛争が起こる可能性は高いと見ている。その時、日本人はどう行動するか。私は今年で六九歳となり、身体能力は若い頃に比べて大分落ちてはいるが、それでもその際には公に尽くす気でいる。つまり、国を守るために銃を取って立ち上がるということだ。

「実際に危機が起これば日本人は覚醒する」という意見もあり、私もそうであると信じたい。歴史を振り返ると、江戸時代末期に黒船が来航した時も多くの日本人が覚醒した。その原動力が、やがて明治維新として昇華したのである。しかし、現代でもそれが再現されるかというと、正直なところ心許《こころもと》ない。少子高齢化もその大きな理由の一つだが、やはり最大の理由は日本人から公の精神が欠落してしまったことにある。

現代の日本では、何より教育がひどい。個を重視するばかりで、公の大切さを教える機会が極端に減っている。仮に台湾有事でも起こったとすれば、戦う人よりも逃げる人の方が多くなるのではないか。冒頭で白石和幸氏が指摘したように、崩壊は免れ得ないのではないかと不安になる。

〝自助の精神〟が欠落してしまった日本人

「天は自ら助くる者を助く」――西洋にはこういったことわざがある。これは元々、一八五九年にイギリスで出版された「自助論」（Self-Help）という、三〇〇人以上の成功談をまとめた著書の中に掲載された言葉だ。それを一八七一年に幕府の留学生だった中村正直が翻訳し、「天は自ら助くる者を助く」という言葉として日本でも広く知られるようになったとされている。

私は、この言葉が好きだ。だからこその反動として、昨今の日本社会に蔓延《はびこ》る政治や安全保障に対するどこか他人事のような風潮にうんざりしている。

これは幼稚園児にもわかりそうな理屈だが、日米同盟を考察した場合、まずは日本が有事の矢面《やおもて》に立たなければ米軍が参戦することはとても考えられない。

なぜ、日本人が血を流さない状況で米軍だけが参戦するのか。中には「有事の際はアメリカが助けてくれる」と漠然と安心している人もいるが、それは日本人が矢面に立つという前提でのことだ。日本人が傍観しているような状況でも米軍が助けてくれるなどと思っている人がいるとすれば、それこそ究極的なカン違いである。アメリカは、日本のボディーガードではない。ましてや日本を取り囲む中国、ロシア、北朝鮮は厳然たる核保有国だ。しかも、あの北朝鮮でさえ核兵器をアメリカに運搬する能力を保持しようとしている。

「パリを守るためにニューヨークを犠牲にする覚悟があるのか」――これはシャルル・ド・ゴール仏大統領（当時）が一九六一年にジョン・F・ケネディ米大統領（当時）に向けた言葉だ。あの当時、アメリカはソ連の核攻撃を「核の傘」で阻止するとしてフランスの核開発を引き止めていたが、ド・ゴールは核開発を断行、しまいにはNATO（北大西洋条約機構）からも脱退している。アメリカの〝核の傘〟を疑ったのだ。

これは、核保有に関する自助の精神として安全保障の世界では有名なエピソードである。ここでは核保有の是非について論じないが、安全保障の分野では〝自助の精神〟が基本だ。誤解を恐れずに言うが、日本は主要先進国の中で安全保障に対する自助の意識が最も欠落している。このような状態で何かしらの有事に突入すれば、それこそ国家が崩壊の危機に瀕《ひん》しても不思議ではない。

世界の度肝を抜いたウクライナ人の徹底抗戦

この点で、ウクライナ戦争は多くの教訓を日本人に投げかけている。二〇二二年二月二四日にロシアからの一方的な侵攻で始まったウクライナ戦争だが、広く知られているようにロシア軍は当初、数週間あればウクライナの大半を制圧できるものと見込んでいた。しかし、ウクライナ人がロシアの侵攻開始直後から徹底抗戦したため、その目標はいとも簡単に潰《つい》えたのである。

ロシアは二〇一四年にクリミア半島を一方的に編入し、二〇二二年二月に始めた全面的な軍事侵攻の一環として、さらにドネツク、ルガンスク、ザポリージャ、ヘルソンの四州を併合した。しかし、ウクライナ人の徹底抗戦により、クリミア以外ではロシアはどの地域も完全には掌握できていない。むしろ、昨今はウクライナがこれら地域で反転攻勢を強めている。

米軍制服組トップのマーク・アレクサンダー・ミリー統合参謀本部議長は二〇二三年九月一九日、ウクライナ軍はこれまでにロシアに占領された自国領土の五四%超を解放したと明らかにした。同氏が言及した五四%の領土は、二〇二二年二月の侵攻以降に解放された土地を指しており、キーウ州やハルキウ州、ヘルソン州の周辺が含まれる。

ちなみに、先の「世界価値観調査」(自国のために戦う意思があるかどうか)において、ウクライナ人の五六・九%が「イエス」と答えた。これでも世界全体からすると、決して高い数値ではない。中にはベトナムの九六・四%、中国の八八・六%、ノルウェーの八七・六%といった高い割合の国もある。もちろん、これら三ヵ国の人間が実際の戦争に接して真に行動を起こすのかは未知数だが、少なくともアンケートの時点ではやる気に満ちており、最初から戦う意思を示さない日本よりはずっとマシな状態だと言えるだろう。

話をウクライナに戻そう。二〇二二年二月二四日の侵攻の直後から、ウクライナでは故郷を守るために何千という人々が武器を手にするために行列を作った。中には海外から帰国した義勇兵（志願兵）も多く、侵攻開始から一七日間でその数は一七万人にのぼったという。ここ日本で戦争が始まれば、武器を取るのではなく脱出するために空港などがパニックになりそうなものだ。

正直、ウクライナでこんなに多くの人が義勇軍として帰国したことに驚きを禁じ得ない。海外から帰国したウクライナ義勇兵の中には、著名なスポーツ選手も多くいたようだ。そして、少なくないアスリートが戦死を遂げている。

たとえば、ウクライナの青年スポーツ省は二〇二二年三月、バイアスロンのジュニア代表チームに所属する一九歳のユージン・マリシェフ選手が、ロシア軍との戦闘で死亡したと発表した。マリシェフ選手は、ロシア軍の激しい攻撃を受けた第二の都市ハリコフ周辺で戦闘中に死亡したという。また、時を同じくして二〇一八年の夏季ユース五輪でボクシング男子バンタム級の銀メダリストとなったマクシム・ハリニチェフさんが、ロシアの母国侵攻を受け志願兵となり戦死したと、ウクライナのアントン・ゲラシチェンコ内相顧問が自身のSNSで明らかにした。マクシム・ハリニチェフさんは、負傷しながらも二度も前線に戻ったという。

ほかにも、二〇二二年三月二五日にはウクライナ・マリウポリの戦場でロシア軍と戦っていたウクライナ人で初のキックボクシング王者マキシム・カガル氏が亡くなったとデイリーメールなどの外信が報じている。ウクライナのウォロディミル・ゼレンスキー大統領は二〇二二年末、国際オリンピック委員会(IOC)のトーマス・バッハ会長と電話会談し、ロシアによる侵略でこれまでにウクライナのスポーツ選手一八四人が死亡したと明らかにした。その後、その数はもっと増えているだろうと容易に想像がつく。未来ある若者の戦死したことには心が張り裂けそうになるが、彼ら志願兵の死は決して無駄ではない。

開戦した当初、ロシア軍の規模は九〇万人の現役兵と二〇〇万人の予備兵によって、ウクライナ軍のおよそ八倍を誇っていたという。そのため、「ロシア軍が圧倒する」と西側の情報機関でさえ信じていた。

しかし、ウクライナの動員力は西側の予想を見事に裏切っている。ウクライナは開戦した直後に総動員令を発出、徴兵の対象は一八〜六〇歳の男性で、出国が禁じられた。とはいえ、ウクライナ国内では愛国主義的な風潮の高まりもあって入隊を志願する人も多く、当初は招集される事例は極めて少なかったという。結果的にウクライナは、開戦から約一四ヵ月間で訓練兵力を含めて約九〇万人を招集した。まさに、ロシアに匹敵する兵力である。しかも、大義名分のないロシア軍と違って、祖国を守るウクライナ兵の士気は高い。

とはいえ、多くの死傷者が確認されており、ウクライナでは二〇二三年三月までに推定でおよそ一六万人の死傷者が出ている。対するロシア軍の同時期までの死傷者は、推定で二〇万人だ。

日本と世界における徴兵制の是非とその必要性

仮にもここ日本で、〝総動員令〟が発出されたらどうなることだろう。果たして、日本社会は対応できるのであろうか。私には到底できるとは思えない。それは前述して来たように、現代の日本人には〝公〟という精神が欠落してしまったためだ。その最大の原因は、戦後の教育方針にあると考えている。

私が思うに、戦後の日本では学校や家庭といった教育やしつけの現場において、公を学ぶ機会が圧倒的に少ない。その点、徴兵制を導入している諸外国では、その徴兵制こそが公を教育する場になっているとの指摘がなされている。お隣の韓国などが好例だ。

現在、徴兵制を敷いているのは全世界で六〇ヵ国以上あり、その目的は他国からの武力侵攻に備えた防衛、公共への奉仕活動の一環、そして教育など多岐に亘る。近代における徴兵制を最初に導入したのは、フランスだ。一七九三年、フランスの国民公会で国民から兵士を徴発動員する徴兵制度を決定、これにより中世の傭兵《ようへい》制度に代わる近代国家の「国民軍」が創設されたのである。

絶対主義諸国間の戦争は、基本的に君主が金銭で兵士を雇ってくる傭兵が戦った。戦争は国民とは関係のないところで行なわれていたわけで、各国の将軍たちも全面的な対決を避け、いかに戦わずして相手を威圧するかを作戦の主眼とし、実際に戦闘が行なわれても傭兵は不利と見るや戦場を勝手に離脱してしまうことが多かったのである。

そのような傭兵中心の戦いの様相を一変させたのが、フランス革命で登場した「徴兵制による国民皆兵の軍隊」であった。彼らは個人的な損得ではなく、国家の防衛や革命という明確な目的をもって戦争に従軍し、しかも全面戦闘すら厭《いと》わなかったことから、フランス革命では「職業軍人」（傭兵）を圧倒している。このような徴兵による近代的な常備軍の制度はフランス革命期から始まり、その後はドイツや日本など多くの国で採用されるようになった。

日本では、幕末に奔走した長州藩士の高杉晋作が創設した「奇兵隊」がその走りだったと考えられる。奇兵隊の根本的な発想は、高杉の師に当たる吉田松陰が掲げた「草莽崛起論《そうもうくっきろん》」という考え方に基づいていた。この「草莽《そうもう》」とは、孟子の言葉で「国民」を指し、「崛起《くっき》」は「蜂起」を意味する。言わば「国民が蜂起する、国民皆兵、身分に関係なく兵となり戦う」という考え方だ。フランス革命の徴兵と相通じる部分である。こうした草莽崛起の考えを高杉晋作は実行し、武士だけではなくあらゆる階級・身分から兵を募り、軍隊を組織した。高杉は、被差別民すら奇兵隊に加えている。

さて、徴兵制の元祖と言えるフランスは、二〇〇一年に徴兵制を廃止した。しかし、二〇一六年の大統領選で「徴兵制の復活」を公約に掲げたマクロン大統領が当選したため、二〇一九年から満一六歳の男女に軍事訓練ではなく「普遍的国民奉仕」という奉仕活動を一ヵ月間、義務化している。

ここ日本では、国柄として徴兵制の導入を掲げた候補が選挙に当選することなどまずあり得なさそうだが、世界は別だ。教育機会としての徴兵制（ここでいう徴兵制とは、必ずしも従軍に限ったことではなく若者を一定期間に亘り徴集する制度を指す）を推す国民が少なからずいる。たとえばフランスの「普遍的国民奉仕」は、若者に国防や安全保障の重要性を植え付けるのが狙いだ。同様の理由から、二〇〇七年に徴兵制を廃止したＮＡＴＯ（北大西洋条約機構）加盟国のラトビアも、二〇二四年一月から再開する。

世界一の軍事大国であるアメリカは、徴兵制こそ採用していないが「セレクティブ・サービス・システム（選抜徴兵登録制度）」というものがあり、現在は一八歳から二五歳の米国籍を保有する男性が登録して訓練を受ける義務があり、違反すると五年以下の懲役または二五万ドル以下の罰金を科せられる。

また、中国には徴兵制があるが、実質的に徴兵が行なわれたことはない。ただし、中国では中学・高校と大学で毎年九月（入学シーズン）に、新入生には二週間ほどの軍事訓練が義務付けられている。

その中国と対峙する台湾は、朝鮮戦争が進行中だった一九五一年から徴兵制を施行、長らく陸軍二年、海・空軍三年の兵役制度を維持して来た。しかし、二〇〇八年に軍服務期間を一年に短縮した後、二〇一八年には出生率の減少と中国との緊張緩和などを理由に服務期間を四ヵ月に短縮し、事実上の募兵制に切り替えた。しかし、ここに来て「一年に戻すべき」との世論が急速に高まったため、二〇〇五年一月一日以降に生まれた男性の兵役義務服務期間を、二〇二四年一月一日から四ヵ月から一年に変更することが決まっている。

知っての通り、日本の若者にはこうした機会がまったくない。ちなみに、日本では憲法の一八条で「意に反して苦役に服させられない」と定めており、徴兵制は違憲であるというのが一般的な解釈だ。そもそも、徴兵制を導入している国であっても、普段からその是非が問われている。批判の多くは、若者の貴重な時間を奪っている、（その結果として）若者に経済的な貧困を招き寄せているといったものだ。半面、教育として重要視する層も多くいる。

私は、いきなり徴兵制までは行かずとも教育の機会を導入することには賛成だ。日本の行く末を考えた場合、日本の若者が公の精神を持つことが極めて重要だと思っている。少なくとも、一三％の人しか「国のために戦う」と答えない国の未来は、どう考えても危うい。

たとえば、仮にも中国から台湾が侵攻を受け、日本も直接・間接を問わず参戦を余儀なくされた場合、すぐさま厭戦《えんせん》気分が蔓延しても不思議ではない。「X」（旧Twitter）などのSNSでは、台湾に中国への投降を呼びかける輩も出てくるだろう。日本の基地なりが直接的な攻撃を受けた場合は、さらにひどい状況になりそうだ。

徴兵制を導入している国では昨今、その対象を女性にも広げようという機運が高まっている。たとえば女性の徴兵は、スウェーデンやノルウェー、イスラエル、マレーシアなどで採用されているが、韓国でも大統領府（青瓦台）に「女性にも徴兵を課すべきだ」という請願《せいがん》が来て、二九万人以上が賛同した。

中国、ロシア、北朝鮮という核保有国に囲まれている日本ではあるが、どこか〝お花畑〟に暮らしているような雰囲気があり、防衛問題を当事者として意識していない。やはり〝公〟の基本は、「安全保障を自分ごととして考えること」から始まるのではないだろうか。

勉強もしない日本人に未来はあるのか？

今年、私はとあるニュースに接して絶句した。それは、日本人の大人が世界で最も「学ばない」というものである。本当にそうらしい。

パーソル総合研究所が実施した最新の国際調査（グローバル就業実態・成長意識調査／二〇二二年）によると、「読書や大学院といった社外学習や自己啓発をしているか」という問いに、日本では五二・六％もの人が「何もしていない」と答えた。これは、世界と比較して圧倒的に高い数字である。何もしていない人の割合は、世界平均では一八％でしかない。

学歴社会の日本では、以前から「大人が自発的に学ばない」という指摘がなされて来た。「社会に出たら、そんなもん必要ない」と言わんばかりである。これは日本に限った話ではなく、学歴社会である以上はより良い企業に就くために多くの人が高学歴を目指すのはある意味で当然だ。

しかし、なぜとりわけ日本人は就職先が決まるまでは熱心に勉強するのに、社会人になってからはスキルアップに励まないのか。教育大手ベネッセコーポレーションは、この傾向を社会的な課題ととらえており、「学歴よりも学習歴」をキャッチフレーズに生涯学習の向上に取り組んでいるが、私は一筋縄では行かないと思っている。

私が推測するに、現代の日本人に生涯学習が根付かないのは、そもそも社会にテンション（緊張感）がないからだ。バブル崩壊以降は低金利に依存したゾンビ企業が徘徊するようになり、生活保護などの社会保障も手厚く、基本的に安全保障はアメリカにおんぶに抱っこという状態である。そう、そこには〝自助の精神〟など必要とはされず、とりあえず「何とかなってしまっている」のが今の日本の姿なのだ。

こうした社会は、有事にめっぽう弱い。今後の日本社会は財政危機、台湾有事、大災害など数多くの深刻な有事に直面するだろう。今の日本人の精神性をもってして、果たしてそうした困難を乗り切れるのか。東日本大震災の際に、被災者が略奪などをせず（一部ではあったようだが）、ガソリン・スタンドや商店にもきちんと列をなして順番を待ったということが世界中から称賛されたが、大地震とは違う性質の有事（たとえば、財政危機に伴うインフレや台湾有事、中東に端を発したオイルショックなど）に接した時、日本人がまた世界から称賛されるような行動を取れるかというと、おそらく難しいだろう。待っているのは、おそらく空前のパニックだ。

常識的に考えれば、「国のために戦う」と答えた人の割合が世界で最も低く、「何も勉強しない」という大人の割合が世界で最も高い日本の未来は、どう考えても危うい。日本がたまたま戦後八〇年に深刻な地政学リスクを経験していないというだけで、その好運が尽きれば極めて悲惨な目に遭うのではないかと不安になる。今後、世界が「Gゼロ」（絶対的なリーダーが不在の群雄割拠）を迎えることはまず間違いなく、こうした激動の時代を乗り切るには社会が一致団結せねばならない。それができなければ、国家の崩壊すら起こるだろう。

一人ひとりが「安全保障」の思考を――元空将・織田邦男

繰り返しになるが、やはり私は、今の日本（人）には〝自助の精神〟が必要だと思う。それを養うには、まずは国家の安全保障を自分ごとと考える必要があるのではないか。そこで、本章の最後に私が懇意にしている元空将の織田邦男氏が、産経新聞に寄せた論評を引用したい。

■戦争しないために備える

四〇年前のことである。米国に留学中、隣家の主婦に「米国の安全保障」について質問したことがある。内容はともかく、滔々《とうとう》と自説を述べる姿に感動した。帰国後、近所の主婦に「日本の防衛」について質問したら（編集部注：防衛力の強化に）「反対」と返ってきた。その落差に大変失望したことを覚えている。

ロシアによるウクライナ侵攻、北朝鮮の核・ミサイル、中国の力を振りかざした権威主義的動向などにより、日本人の意識にも徐々に変化がみられる。だが相変わらず「平和」という言葉は乱用気味で、それを確保する具体策になると口を閉ざす。先日テレビで「平和のためには、いくら税金をつぎ込んでもいいが、ミサイルにつぎ込むというのはチョットねえ…」とコメンテーターが語っていた。あなたの言う

「平和のため」の具体策とは何?と聞きたくもなる。

誰しも戦争より平和が良いに決まっている。だが「平和」をいくら叫んでも「戦争反対」を連呼しても、平和は得られない。平和は得るものではなく、努力して獲得するものである。「汝《なんじ》、平和を欲すれば戦争に備えよ」と戦略家は語っている。昨年、安全保障関連三文書改定に向けた有識者会議でメディア出身の委員が「戦わないために戦える備えを常に維持することだ」と述べた。さすが有識者と感心したが、現役記者時代に主張してもらいたかった。

■退官の日の思い

国防や安全保障は本来逆説的なものである。懸念される事態に万全の態勢で準備しておけば、そのような事態は発生しにくくなる。それが抑止力であり、平和を獲得する最良の方策である。筆者はこれを信じ、戦闘機操縦者として人生の半分を国防にささげた。退官の日、厳しい訓練で磨いた技を使う機会がなくて良かったと心底思った。何事もないことの大切さ。「我が汗、無駄なれ」と今日も訓練に汗している後輩達がいる。理解し応援してやってもらいたい。

周辺がきな臭くなっている。この期に及んで、憲法九条を守ってさえいれば、平和が維持できるという人がいる。日本が戦争を放棄しても、戦争が日本を放棄しない。最悪に備えて抑止力を高めなければ、台湾有事は起こりうる。台湾有事が起きれば、戦争の惨禍は南西諸島に及ぶ。だが南西諸島にはとどまらないだろう。戦争は一旦起こると、取り返しのつかない悲惨な状況となる。ウクライナを見るまでもない。戦争抑止のために、あらゆるリソースを突っ込む方がよほど安価で安全である。

戦後、大学から「軍事」や「戦略」などの講座が消えた。軍事や国防をタブー視することが「平和国家」だとする「空気」が未《いま》だに蔓延《まんえん》している。学者が集う日本学術会議が軍事研究を行わないことを標榜《ひょうぼう》している悪影響は大きい。

防衛省が実施する安全保障技術研究推進制度（先進的技術の基礎研究を公募する制度）には異を唱えながら、中国に招聘《しょうへい》されたら、人民解放軍傘下の国防七大学で研究を実施する。中国軍なら良くて、防衛省ならなぜダメなのか。学問に国境はないという。だが学者には祖国があるはずだ。そもそも日本で軍事研究をすれば、日本が再び侵略戦争をするとでも本当に思っているのだろうか。象牙の塔に籠もっていないで、広く国際情勢に目を見開いてはどうか。

戦争中、悲惨な体験をし、戦後には住む家もなく、ひもじい思いをした先人達が「戦争」「軍事」などの言葉を聞くと、条件反射的に「反対」と思考停止するのを理解できないわけではない。だが見たくない戦争から目を背けず、戦争を未然に防止すべく国際社会と連携し、時には血を流す覚悟も持たなければ平和は勝ち取れない。

■平和を維持するための基本

米軍の友人が日本の思考を「オストリッチ・ファッション」と揶揄《やゆ》

していた。オストリッチ、つまりダチョウは危機が迫ると穴に首を突っ込む習性があるという。真実に向き合わず、無知ゆえの安心の上に成り立っている虚妄の平和を享受する。安全保障をワシントンに丸投げできたからこその日本の得意技だった。頼みの綱の米国も相対的な力の低下は否めない。

　昨年一〇月、米国は国家安全保障戦略で「統合抑止力」という概念を打ち出した。「われわれは軍事力近代化と国内の民主主義強化に取り組む。同盟国もその種の能力に投資することや、抑止力を高めるのに必要な計画の立案に着手することなどによって、同じく行動するよう求める」と。もう米国だけに任せず、同盟国も手伝ってくれという米国の悲鳴である。もはや米国に丸投げして安逸をむさぼることはできなくなった。

　「戦争のことを考えなければ平和が続く」といった愚昧さから、そろそろ目を覚まさねばならない。国家の安全保障とは、つまるところ国民一人一人が真剣に国の行く末を考えることである。考えたくないことを考える。最も起こってほしくないことを考える。これが安全保障の基本である。平和を維持するためにも、この基本に立ち返ろうではないか。

（産経新聞二〇二三年二月二七日付）

明治維新から始まった近代日本が、今世紀に崩壊することなどあってはならない。しかし、危機は確実に迫っている。そして、間違いなく現代の日本は脆《もろ》い。戦後、エコノミック・アニマル（経済的な利潤の追求を第一として活動する人）を自称し、経済大国にのぼり詰めたわけだが、同時に失ったものも大きかった。それこそがまさに〝公の精神〟である。教育のせいもあろう。結果として現代の日本社会には個人の権利意識ばかり巣食《すく》い、「誰かのため、人のため」といった気持ちが欠落してしまっている。

私はあえて断言するが、江戸から明治、そして大正と昭和の人間が日本を成功に導けたのは、〝公の精神〟があってこそのことだ。時には失敗もしたが、その後に復興できたのは紛れもなく公の精神にあったに違いない。

それが失われた今、〝真に有事〟と呼べる事件に日本が直面したとしたら、本当にこの国は崩壊してしまうのではないかと私は心配している。仮に、中国と事を構えた際、「中国に従った方がいい」という論調が出て来まいか。現状を省みると、心許ない。

私たちは、今こそ先人に思いを馳《は》せるべきである。先人たちが命がけで守り抜いて来た日本という国を、私たちの世代で台無しにしてよいわけがない。黒船来航によって当時の日本人が覚醒したように、現代の日本人も有事の際に覚醒すると、私は心のどこかで思っている。

フランスの名将シャルル・ド・ゴールは「剣は折れた。だが私は折れた剣の端を握ってあくまで戦うつもりだ」という言葉を残した。当然、私も最後まで戦うつもりでいる。皆さんもそうであってほしい。せめて本書を手に取ってくださった諸氏には、より一層、自助や公の意識を高めていただきたい。

エピローグ

金《かね》を失うのは小さく、名誉を失うのは大きい。
しかし、勇気を失うことはすべてを失う

（ウィンストン・チャーチル）

非常時は目の前だ。備えるのは〝今〟しかない

二〇二二年の秋に続いて、二〇二三年の秋もドル/円は一時一五一円までの急激な円安局面を迎えた。これは、ある重大なことを暗示している。それこそ、日本の国力の低下である。しかも民間の経済力の衰退だけでなく、政府の巨大な借金がこうした円安を加速させたのだ。

すでにご存じの通り、日本人の所得は大分前にシンガポールに抜かれ、最近はお隣の韓国にさえもうすぐ抜かれそうだ。そしてコロナ禍でよくわかったように、ワクチンも自国生産できず対応もすべて後手後手の、後進国並みの国家となり果ててしまった。そして一般国民も政治家もそのことに気付かないのは、政府が借金をしてすべてをごまかして何事もなかったようにして来たからだ。

しかし、その〝手品〟もそろそろ使えないくらいの状況に陥り始めた。政府の借金の半分以上を、日銀が背負ってしまったからだ。そのために、日銀が身

動きできなくなってしまったのだ。

つまり、インフレがやって来ているのに金利を上げることすらできないのだ。金利を上げたら（たったの二%で）、日銀そのものが債務超過で破綻してしまう。そうなれば、日銀が発行する円は紙キレだ。そして金利が上がれば、民間銀行も借金をしている企業も政府も首が回らなくなる。政府も民間も共倒れだ。

そうした〝非常時〟が迫っている。ガラガラポンの時が、目の前にやって来ている。まさに、日本国崩壊だ。あなたが老後資金を守りたいのであれば、すぐに手を打つべきだ。

備えろ、手を打て、身構えろ‼　巨大津波はもうそこまでやって来ている。

二〇二三年一一月吉日

浅井　隆

■今後、『あなたの円が紙キレになる日』『ドルの正しい持ち方』（すべて仮題）を順次出版予定です。ご期待下さい。

浅井隆からの重要なお知らせ

——恐慌および国家破産を勝ち残るための具体的ノウハウ

厳しい時代を賢く生き残るために必要な情報を収集するために

◆〝恐慌および国家破産対策〟の入口

「経済トレンドレポート」

電子版も好評配信中!

皆様に特にお勧めしたいのが、浅井隆が取材した特殊な情報をいち早くお届けする「経済トレンドレポート」です。今まで、数多くの経済予測を的中させてきました。そうした特別な経済情報を年三三回（一〇日に一回）発行のレポートでお届けします。初心者や経済情報に慣れていない方にも読みやすい内容で、新聞やインターネットに先立つ情報や、大手マスコミとは異なる切り口からまとめた情報を掲載しています。

さらにその中で、恐慌、国家破産に関する『特別緊急警告』『恐慌警報』『国家破産警報』も流しております。「激動の二一世紀を生き残るために対策をしなければならないことは理解したが、何から手を付ければよいかわからない」「経済情報をタイムリーに得たいが、難しい内容には付いて行けない」という方は、最低でもこの経済トレンドレポートをご購読下さい。年間、約四万円で生き残るための情報を得られます。また、経済トレンドレポートの会員になられます

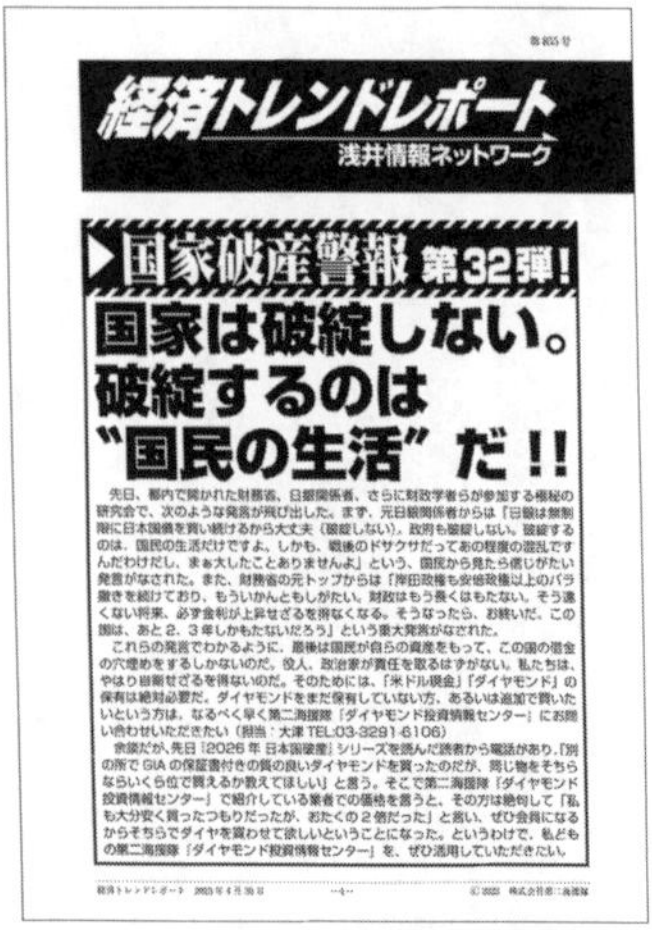
経済トレンドレポート

浅井情報ネットワーク

▶国家破産警報 第32弾！

国家は破綻しない。破綻するのは"国民の生活"だ!!

先日、都内で開かれた財務省、日銀関係者、さらに財政学者らが参加する極秘の研究会で、次のような発言が飛び出した。まず、元日銀関係者からは「日銀は無制限に日本国債を買い続けるから大丈夫（破綻しない）。政府も破綻しない。破綻するのは、国民の生活だけですよ。しかも、戦後のドサクサだってあの程度の混乱ですんだわけだし、まぁ大したことありませんよ」という、国民から見たら信じがたい発言がなされた。また、財務省の元トップからは「岸田政権も安倍政権以上のバラ撒きを続けており、もういかんともしがたい。財政はもう長くはもたない。そう遠くない将来、必ず金利が上昇せざるを得なくなる。そうなったら、お終いだ。この国は、あと2、3年しかもたないだろう」という重大発言がなされた。

これらの発言でわかるように、最後は国民が自らの資産をもって、この国の借金の穴埋めをするしかないのだ。役人、政治家が責任を取るはずがない。私たちは、やはり自衛せざるを得ないのだ。そのためには、「米ドル現金」「ダイヤモンド」の保有は絶対必要だ。ダイヤモンドをまだ保有していない方、あるいは追加で買いたいという方は、なるべく早く第二海援隊「ダイヤモンド投資情報センター」にお問い合わせいただきたい（担当：大津 TEL:03-3291-6106）

余談だが、先日「2026年 日本国破産」シリーズを読んだ読者から電話があり、「別の所でGIAの保証書付きの質の良いダイヤモンドを買ったのだが、同じ物をそちらならいくら位で買えるか教えてほしい」と言う。そこで第二海援隊「ダイヤモンド投資情報センター」で紹介している業者での価格を言うと、その方は絶句して「私も大分安く買ったつもりだったが、おたくの2倍だった」と言い、ぜひ会員になるからそちらでダイヤを買わせて欲しいということになった。というわけで、私どもの第二海援隊「ダイヤモンド投資情報センター」を、ぜひ活用していただきたい。

経済トレンドレポート　2023年4月30日　—4—　©2023　株式会社第二海援隊

2023年4月30日号

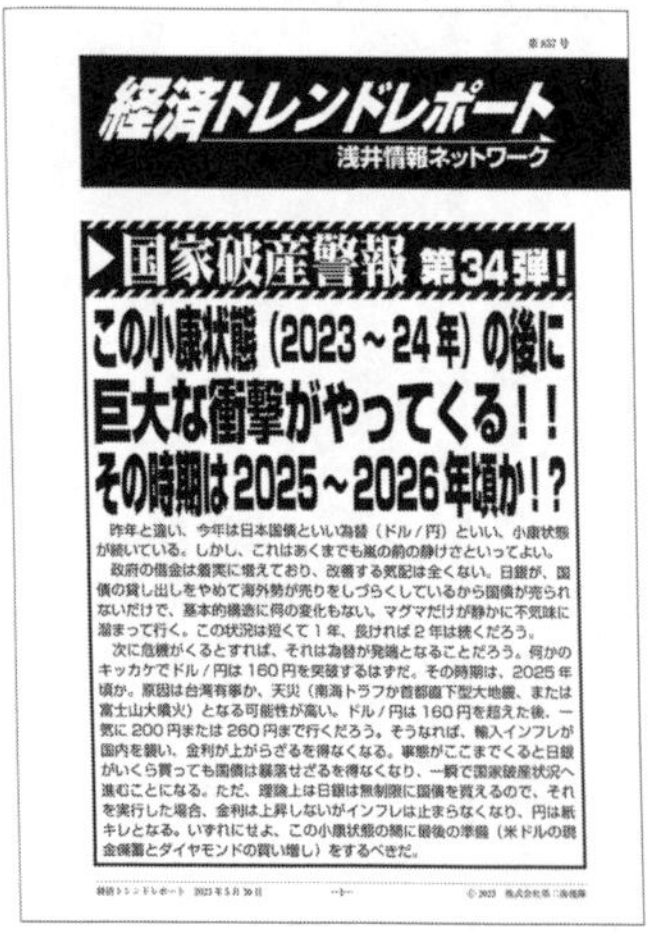
経済トレンドレポート

浅井情報ネットワーク

▶国家破産警報 第34弾！

この小康状態（2023～24年）の後に巨大な衝撃がやってくる！！その時期は2025～2026年頃か！？

昨年と違い、今年は日本国債といい為替（ドル/円）といい、小康状態が続いている。しかし、これはあくまでも嵐の前の静けさといってよい。

政府の借金は着実に増えており、改善する気配は全くない。日銀が、国債の貸し出しをやめて海外勢が売りをしづらくしているから国債が売られないだけで、基本的構造に何の変化もない。マグマだけが静かに不気味に溜まって行く。この状況は短くて1年、長ければ2年は続くだろう。

次に危機がくるとすれば、それは為替が発端となることだろう。何かのキッカケでドル/円は160円を突破するはずだ。その時期は、2025年頃か。原因は台湾有事か、天災（南海トラフか首都直下型大地震、または富士山大噴火）となる可能性が高い。ドル/円は160円を超えた後、一気に200円または260円まで行くだろう。そうなれば、輸入インフレが国内を襲い、金利が上がらざるを得なくなる。事態がここまでくると日銀がいくら買っても国債は暴落せざるを得なくなり、一瞬で国家破産状況へ進むことになる。ただ、理論上は日銀は無制限に国債を買えるので、それを実行した場合、金利は上昇しないがインフレは止まらなくなり、円は紙キレとなる。いずれにせよ、この小康状態の間に最後の準備（米ドルの現金保蓄とダイヤモンドの買い増し）をするべきだ。

経済トレンドレポート　2023年5月30日　—1—　©2023　株式会社第二海援隊

2023年5月30日号

「経済トレンドレポート」は情報収集の手始めとしてぜひお読みいただきたい。

と、当社主催の講演会など様々な割引・特典を受けられます。

■詳しいお問い合わせ先は、㈱第二海援隊　担当：島崎

TEL：〇三（三二九一）六一〇六　FAX：〇三（三二九一）六九〇〇

Eメール：info@dainikaientai.co.jp

ホームページアドレス：http://www.dainikaientai.co.jp/

恐慌・国家破産への実践的な対策を伝授する会員制クラブ

◆「自分年金クラブ」「ロイヤル資産クラブ」「プラチナクラブ」

国家破産対策を本格的に実践したい方にぜひお勧めしたいのが、第二海援隊の一〇〇%子会社「株式会社日本インベストメント・リサーチ」（関東財務局長（金商）第九二六号）が運営する三つの会員制クラブ（**「自分年金クラブ」「ロイヤル資産クラブ」「プラチナクラブ」**）です。

まず、この三つのクラブについて簡単にご紹介しましょう。**「自分年金クラブ」**は資産一〇〇〇万円未満の方向け、**「ロイヤル資産クラブ」**は資産一〇〇〇

万～数千万円程度の方向け、そして最高峰の**「プラチナクラブ」**は資産一億円以上の方向け（ご入会条件は資産五〇〇〇万円以上）で、それぞれの資産規模に応じた魅力的な海外ファンドの銘柄情報や、国内外の金融機関の活用法に関する情報を提供しています。

恐慌・国家破産は、なんと言っても海外ファンドや海外口座といった「海外の活用」が極めて有効な対策となります。特に海外ファンドについては、私たちは早くからその有効性に注目し、二〇年以上に亘って世界中の銘柄を調査してまいりました。本物の実力を持つ海外ファンドの中には、恐慌や国家破産といった有事に実力を発揮するのみならず、平時には資産運用としても魅力的なパフォーマンスを示すものがあります。こうした情報を厳選してお届けするのが、三つの会員制クラブの最大の特長です。

その一例をご紹介しましょう。三クラブ共通で情報提供する「ATファンド」は、年率五～七％程度の収益を安定的に挙げています。これは、たとえば年率七％なら三〇〇万円を預けると毎年約二〇万円の収益を複利で得られ、およそ一〇年で資産が二倍になる計算となります。しかもこのファンドは、二〇一四年の運用開始から一度もマイナスを計上したことがないという、極めて優秀な運用実績を残しています。日本国内の投資信託などではとても信じられない数字ですが、世界中を見渡せばこうした優れた銘柄はまだまだあるのです。

冒頭にご紹介した三つのクラブでは、「ATファンド」をはじめとしてより高い収益力が期待できる銘柄や、恐慌などの有事により強い力を期待できる銘柄など、様々な魅力を持ったファンド情報をお届けしています。なお、資産規模が大きいクラブほど、取り扱い銘柄数も多くなっております。

また、ファンドだけでなく金融機関選びも極めて重要です。単に有事にも耐え得る高い信頼性というだけでなく、各種手数料の優遇や有利な金利が設定されている、日本に居ながらにして海外の市場と取引ができるなど、金融機関も様々な特長を持っています。こうした中から、各クラブでは資産規模に適した、魅力的な条件を持つ国内外の金融機関に関する情報を提供し、またその活用方法についてもアドバイスしています。

その他、国内外の金融ルールや国内税制などに関する情報など資産防衛に有用な様々な情報を発信、会員の皆様の資産に関するご相談にもお応えしております。浅井隆が長年研究・実践して来た国家破産対策のノウハウを、ぜひあなたの大切な資産防衛にお役立て下さい。

■詳しいお問い合わせは「㈱日本インベストメント・リサーチ」

TEL：〇三（三二九一）七二九一　FAX：〇三（三二九一）七二九二

Eメール：info@nihoninvest.co.jp

「国家破産 資産シミュレーション」サービス開始

古今東西、あらゆる国家破産は、事実上国民の財産によって清算されてきました。まさに「国家破産とはすなわち国民破産」なのです。しかしながら、すべての国民の資産が国家破産によって無価値になり、あるいは国家に収奪されるわけではありません。破綻国家をつぶさに調べて行くと、価値が失われにくい資産がどのようなものかがはっきりと見えてきます。そうした情報を上手に使って、適切な対策を講じることで影響を少なくすることができるのです。

日本の財政危機は、コロナ禍による財政出動を通じてさらに加速し、いよいよ最終局面に突入しつつあります。資産防衛の対策を講じるために、残された時間はわずかと言えます。しかしながら、漠然と「個人財産が危機にさらされる」と言っても、実感がわかないのが率直なところでしょう。また、何から手を付ければよいのかも、なかなか見当が付かないことと思います。

そこで、第二海援隊一〇〇%子会社の「日本インベストメント・リサーチ」にて、新たなサービスとなる「国家破産 資産シミュレーション」を開始いたしました。第二海援隊グループの二五年以上に亘る国家破産研究に基づいたノウハウを活用し、個々人の資産現況から国家破産時にどのような影響を受け、資産がどの程度ダメージを受けるのかのシミュレーションを算出いたします。またご希望に応じて、「日本インベストメント・リサーチ」スタッフによるシミュレーションの詳細説明や、実行すべき資産防衛対策のご提案も行ないます。

◆「国家破産　資産シミュレーション」実施概要

実施期間：二〇二三年九月一日～二〇二四年三月三一日（期間延長あり）
費用：二万円　（当社各クラブの会員様は別途割引あり）
〈シミュレーションの流れ〉
1．お客様の現在の資産状況をご提出いただきます。
2．国家破産の状況を「最悪時」と「ソフトランディング時」に場合わけし、それぞれでお客様の資産がどのように変化するか、シミュレーション結果をお返しします。
3．合わせて、どのような対策に着手すべきかをご提案します。
4．ご希望に応じて、評価結果や対策について、スタッフが対面（または電話など）にて説明いたします。
注記：お預かりした資産関連の情報は、シミュレーション目的のみに使用し、またシミュレーション後は原則として情報を破棄します。

国家破産対策において重要なことは、まずは何より「現状を知ること」、そして次に「どの対策を講じるか」を定めることにあります。「国家破産 資産シミュレーション」は、その第一歩をより確かに踏み出す助けとなるでしょう。ぜひとも、奮ってご活用をご検討下さい。

■詳しいお問い合わせは「㈱日本インベストメント・リサーチ」

TEL：〇三（三二九一）七二九一　FAX：〇三（三二九一）七二九二

Eメール：info@nihoninvest.co.jp

他にも第二海援隊独自の〝特別情報〟をご提供

◆浅井隆のナマの声が聞ける講演会

著者・浅井隆の講演会を開催いたします。二〇二四年は東京・一月一三日（土）、大阪・四月二六日（金）、名古屋・五月一〇日（金）、札幌・五月三一日（金）で予定しております。経済の最新情報をお伝えすると共に、生き残りの具体的な対策を詳しく、わかりやすく解説いたします。

活字では伝えることのできない、肉声による貴重な情報にご期待下さい。
■詳しいお問い合わせ先は、㈱第二海援隊
ＴＥＬ：〇三（三二九一）六一〇六　ＦＡＸ：〇三（三二九一）六九〇〇
Ｅメール：info@dainikaientai.co.jp

◆「ダイヤモンド投資情報センター」

現物資産を持つことで資産保全を考える場合、小さくて軽いダイヤモンドは持ち運びも簡単で、大変有効な手段と言えます。近代画壇の巨匠・藤田嗣治は太平洋戦争後、混乱する世界を渡り歩く際、資産として持っていたダイヤモンドを絵の具のチューブに隠して持ち出し、渡航後の糧にしました。金《きん》（ゴールド）だけの資産防衛では不安という方は、ダイヤモンドを検討するのも一手でしょう。しかし、ダイヤモンドの場合、金《きん》とは違って公的な市場が存在せず、専門の鑑定士がダイヤモンドの品質をそれぞれ一点ずつ評価して値段が決まるため、売り買いは金《きん》に比べるとかなり難しいという事情があります。そのため、信頼できる専門家や取り扱い店と巡り合えるかが、ダイヤモンドでの資産保全の成否のわかれ目です。

そこで、信頼できるルートを確保し業者間価格の数割引という価格での購入が可能で、ＧＩＡ（米国宝石学会）の鑑定書付きという海外に持ち運んでも適正価格での売却が可能な条件を備えたダイヤモンドの売買ができる情報を提供いたします。

ご関心がある方は「ダイヤモンド投資情報センター」にお問い合わせ下さい。

■お問い合わせ先：㈱第二海援隊　ＴＥＬ：〇三（三二九一）六一〇六　担当：大津

◆第二海援隊ホームページ

第二海援隊では様々な情報をインターネット上でも提供しております。詳しくは「第二海援隊ホームページ」をご覧下さい。私ども第二海援隊グループは、皆様の大切な財産を経済変動や国家破産から守り殖やすためのあらゆる情報提供とお手伝いを全力で行ないます。

また、浅井隆によるコラム「天国と地獄」を連載中です。経済を中心に長期的な視野に立って浅井隆の海外をはじめ現地生取材の様子をレポートするなど、独自の視点からオリジナリティあふれる内容をお届けします。

■ホームページアドレス：http://www.dainikaientai.co.jp/

第二海援隊
HPはこちら

株で資産を作れる時代がやってきた！ "四つの株投資クラブ"のご案内

一「㊙株情報クラブ」

「㊙株情報クラブ」は、普通なかなか入手困難な日経平均の大きなトレンド、現物個別銘柄についての特殊な情報を少人数限定の会員制で提供するものです。しかも、「ゴールド」と「シルバー」の二つの会があります。目標は、提供した情報の八割が予想通りの結果を生み、会員の皆様の資産が中長期的に大きく殖えることです。そのために、日経平均については著名な「カギ足」アナリストの川上明氏が開発した「T1システム」による情報提供を行ないます。川上氏はこれまでも多くの日経平均の大転換を当てていますので、これからも当クラブに入会された方の大きな力になると思います。

また、その他の現物株（個別銘柄）については短期と中長期の二種類にわけて情報提供を行ないます。短期については川上明氏開発の「T14」「T16」という二つのシステムにより日本の上場銘柄をすべて追跡・監視し、特殊な買いサインが出ると即買いの情報を提供いたします。そして、買った値段から一〇％上昇したら即売却していただき、利益を確定します。この「T14」「T16」は、これまでのところ当たった実績が九八％という驚異的なものとなっております（二〇一五年一月～二〇二〇年六月におけるシミュレーション）。

さらに中長期的銘柄としては、浅井の特殊な人脈数人および第二海援隊の一〇〇％子会社である㈱日本インベストメント・リサーチの専任スタッフが選び抜いた日・米・中三ヵ国の成長銘柄を情報提供いたします。特に、スイス在住の市場分析・研究家、吉田耕太郎氏の銘柄選びには定評があります。参考までに、吉田氏が選んだ三つの過去の銘柄の実績を挙げておきます（「㊙株情報クラブ」発足時の情報です）。

まず一番目は、二〇一三年に吉田氏が推奨した「フェイスブック」（現「メタ」）。当時二七ドルでしたが、それが三〇〇ドル超になっています。つまり、七～八年で一〇倍というすさまじい成績を残しています。二番目の銘柄としては、「エヌビディア」です。こちらは二〇一七年、一〇〇ドルの時に推奨し、六〇〇ドル超となっていますので、四年で六倍以上です。さらに三番目の銘柄の「アマゾン」ですが、二〇一六年、七〇〇ドルの時に推奨し、三二〇〇ドル超です。こちらは五年で四・五倍です。こういった銘柄を中長期的に持つということは、皆様の財産形成において大きく資産を殖やせるものと思われます。

そこで、「ゴールド」と「シルバー」の違いを説明いたしますと、「ゴールド」は小さな銘柄も含めて年四～八銘柄を皆様に推奨する予定です。これはあくまでも目標で年平均なので、多い年と少ない年があるのはご了承下さい。「シルバー」に関しては、小さな銘柄（売買が少なかったり、上場されてはいるが出来高が非常に少ないだけではなく時価総額も少なくてちょっとしたお金でも株価が大きく動く銘柄）は情報提供をいたしません。これは、情報提供をするとそれだけで上がる危険性があるためです（「ゴールド」は人数が少ないので小さな銘柄も情報提供いたします）。そのため、「シルバー」の推奨銘柄は年三～六銘柄と少なくなっております。

「ゴールド」はまさに少人数限定二〇名のみ、「シルバー」も六〇名限定となっております。「シルバー」は二次募集をする可能性もあります。

クラブは二〇二一年六月よりサービスを開始しており、すでに会員の皆様へ有用な情報をお届けしております。なお、「㊙株情報クラブ」「ボロ株クラブ」の内容説明会を収録したＣＤを二〇〇〇円（送料込み）にてお送りしますのでお問い合わせ下さい。

皆様の資産を大きく殖やすという目的のこの二つのクラブは、皆様に大変有益な情報提供ができると確信しております。奮ってご参加下さい。

■お問い合わせ先：㈱日本インベストメント・リサーチ「㊙株情報クラブ」

TEL：〇三（三二九一）七二九一　FAX：〇三（三二九一）七二九二
Eメール：info@nihoninvest.co.jp

二　「ボロ株クラブ」

「ボロ株」とは、主に株価が一〇〇円以下の銘柄を指します。何らかの理由で売り叩かれ、投資家から相手にされなくなった〝わけアリ〟の銘柄もたくさんあり、証券会社の営業マンがお勧めすることもありませんが、私たちはそこにこそ収益機会があると確信しています。

過去一〇年、〝株〟と聞くと多くの方は成長の著しいアメリカのＩＣＴ（情報通信技術）関連の銘柄を思い浮かべるのではないでしょうか。アップルやＦＡＮＧ（フェイスブック〈現「メタ」〉、アマゾン、ネットフリックス、グーグル）、さらには大手ＥＶメーカーのテスラといったＩＣＴ銘柄の騰勢は目を見張るほどでした。しかし、こうした銘柄はボラティリティが高くよほどの〝腕〟が求められることでしょう。

「人の行く裏に道あり花の山」という相場の格言があります。「人はとかく群集心理で動きがちだ。いわゆる付和雷同である。ところが、それでは大きな成功は得られない。むしろ他人とは反対のことをやった方が、うまく行く場合が多い」とこの格言は説いています。すなわち、私たちはなかば見捨てられた銘柄にこそ大きなチャンスが眠っていると考えています。実際、「ボロ株」はしばしば大化けします。ボロ株クラブは二〇二一年六月より始動していますが、小型銘柄（ボロ株）を中心として数々の実績を残しています。過去のデータが欲しいという方は当クラブまでお電話下さい。

もちろん、やみくもに「ボロ株」を推奨して行くということではありません。弊社が懇意にしている「カギ足」アナリスト川上明氏の分析を中心に、さらには同氏が開発した自動売買判断システム「ＫＡＩ─解─」からの情報も取り入れ、短中長期すべてをカバーしたお勧めの取引（銘柄）をご紹介します。

構想から開発までに十数年を要した「ＫＡＩ」には、すでに多くの判断システムが組み込まれていますが、「ボロ株クラブ」ではその中から「Ｔ８」というシステムによる情報を取り入れています。T8の戦略を端的に説明しますと、「ある銘柄が急騰し、その後に反落、そしてさらにその後のリバウンド（反騰）を狙う」となります。

川上氏のより具体的な説明を加えましょう——「ある銘柄が急騰すると、利益確定に押され急落する局面が往々にしてあるが、出遅れ組の押し目が入りやすい。すなわち、急騰から反落の際には一度目の急騰の際に買い逃した投資家の買いが入りやすい」。過去の傾向からしても、およそ七割の確率でさらなるリバウンドが期待できるとのことです。そして、リバウンド相場は早く動くことが多いため、投資効率が良くデイトレーダーなどの個人投資家にとっては打って付けの戦略と言えます。川上氏は、生え抜きのエンジニアと一緒に一九九〇～二〇一四年末までのデータを使ってパラメータ（変数）を決定し、二〇一五年一月四日～二〇二〇年五月二〇日までの期間で模擬売買しています。すると、勝率八割以上という成績になりました。一銘柄ごとの平均リターンは約五％強ですが、「ボロ株クラブ」では、「T8」の判断を元に複数の銘柄を取引することで目標年率二〇％以上を目指します。

これら情報を複合的に活用することで、年率四〇％も可能だと考えています。年会費も第二海援隊グループの会員の皆様にはそれぞれ割引サービスをご用意しております。詳しくは、お問い合わせ下さい。また、「ボロ株」の「時価総額や出来高が少ない」という性質上、無制限に会員様を募ることができません。一〇〇名を募集上限（第一次募集）とします。

■お問い合わせ先：㈱日本インベストメント・リサーチ「ボロ株クラブ」

TEL：〇三（三二九一）七二九一　FAX：〇三（三二九一）七二九二

Eメール：info@nihoninvest.co.jp

三「日米成長株投資クラブ」

世界経済の潮流は、「低インフレ・低金利」から「高インフレ・高金利」に大きく様変わりしました。資産の防衛・運用においても、長期的なインフレ局面に則した考え方、取り組みが必要となります。

端的に言えば、インフレでは通貨価値が減少するため、現金や預金で資産を持つのは最悪手となります。リスクを取って、積極的な投資行動に打って出ることが極めて有効かつ重要となります。中でも、「株式投資」は誰にでも取り組みやすく、しかもやり方次第では非常に大きな成果を挙げ、資産を増大させることが可能です。

浅井隆は、インフレ時代の到来と株式投資の有効性に着目し、インフレトレンドが本格化する前の二〇一八年、「日米成長株投資クラブ」を立ち上げ、株式に関する情報提供、助言を行なってきました。クラブの狙いは、株式投資に特化しつつも経済トレンドの変化にも対応するという、ほかにはないユニークな情報を提供する点です。現代最高の投資家であるウォーレン・バフェット氏とジョージ・ソロス氏の投資哲学を参考として、割安な株、成長期待の高い株を見極め、じっくり保有するバフェット的発想と、経済トレンドを見据えた大局観の投資判断を行なって行くソロス的手法を両立することで、大激動を逆手に取り、「二〇年後に資産一〇倍」を目指します。

経済トレンド分析には、私が長年信頼するテクニカル分析の専門家、川上明氏による「カギ足分析」を主軸としつつ、長年多角的に経済トレンドの分析を行なって来た浅井隆の知見も融合して行きます。川上氏のチャート分析は極めて強力で、たとえば日経平均では三三年間で約七割の驚異的な勝率を叩き出しています。

また、個別銘柄については発足から二〇二三年一月までに延べ五〇銘柄程度を情報提供してきましたが、多くの銘柄で良好な成績を残し、会員の皆様に収益機会となる情報をお届けすることができました。これらの銘柄の中には、低位小型株から比較的大型のものまで含まれており、中には短期的に連日ストップ高を記録し数倍に大化けしたものもあります。

会員の皆様には、こうした情報を十分に活用していただき、当クラブにて大激動をチャンスに変えて大いに資産形成を成功させていただきたいと考えております。ぜひこの機会を逃さずにお問い合わせ下さい。サービス内容は以下の通りです。

1．浅井隆、川上明氏（テクニカル分析専門家）が厳選する国内の有望銘柄の情報提供
2．株価暴落の予兆を分析し、株式売却タイミングを速報
3．日経平均先物、国債先物、為替先物の売り転換、買い転換タイミングを速報
4．バフェット的発想による、日米の超有望成長株銘柄を情報提供

詳しいお問い合わせは「㈱日本インベストメント・リサーチ」
TEL：〇三（三二九一）七二九一　FAX：〇三（三二九一）七二九二
Eメール：info@nihoninvest.co.jp

四「オプション研究会」

二〇二二年二月、突如として勃発したロシアのウクライナ侵攻によって、冷戦終結から保たれて来た平和秩序は打ち破られ、世界はまったく新しい局面を迎えました。これから到来する時代は、「平和と繁栄」から「闘争と淘汰」と

いう厳しいものになるかもしれません。そして、天文学的債務を抱える日本においては、財政破綻、徳政令、株価暴落といった経済パニックや、台湾有事など地政学的なリスク、さらには東南海地震や首都直下地震などの天災など、様々な激動に見舞われるでしょう。

もちろん、こうした激動の時代には大切な資産も大きなダメージを受けることになります。一見すると絶望的にも思われますが、実は考え方を変えれば「激動の時代＝千載一遇の投資のチャンス」にもなるのです。そして、それを実現するための極めて有効な投資の一つが「オプション取引」なのです。

「オプション取引」は、株式などの一般的な取引とは異なり、短期的な市場の動きに大きく反応し、元本の数十〜一〇〇〇倍以上もの利益を生み出すこともあるものです。そうした大きな収益機会を、「買い建て」のみで取り組むことで、損失リスクを限定しながらつかむことができるのです。激動の時代には市場も大きく揺れ動き、「オプション取引」においても前述したような巨大な収益機会が度々生まれることになります。もちろん、市場が暴落した時のみならず、急落から一転して大反騰した時にもそうしたチャンスが発生し、それを活用することができます。市場の上げ、下げいずれもがチャンスとなるわけです。

「オプション取引」の重要なポイントを今一度まとめます。

・非常に短期（数日〜一週間程度）で、数十倍〜数百倍の利益を上げることも可能
・しかし、「買い建て」取引のみに限定すれば、損失は投資額に限定できる
・恐慌、国家破産などで市場が大荒れするほどに収益機会が広がる
・最低投資額は一〇〇〇円（取引手数料は別途）
・株やＦＸと異なり、注目すべき銘柄は基本的に「日経平均株価」の動きのみ
・給与や年金とは分離して課税される（税率約二〇％）

こうした極めて魅力的な特長を持つ「オプション取引」ですが、これを活用するにはオプションとその取引方法に習熟することが必須となります。オプションの知識習得と、パソコンやスマホによる取引操作の習熟が大きなカギですが、「オプション取引」はこれらの労を割くに値するだけの強力な「武器」に

なり得ます。

もし、これからの激動期を「オプション取引」で挑んでみたいとお考えであれば、第二海援隊グループがその習熟を「情報」と「助言」で強力に支援いたします。二〇一八年一〇月に発足した「オプション研究会」では、「オプション取引」はおろか株式投資など他の投資経験もないという方にも、道具の揃え方から基本知識の伝授、投資の心構え、市況変化に対する考え方や収益機会のとらえ方など、初歩的な事柄から実践に至るまで懇切丁寧に指導いたします。

また二〇二一年秋には収益獲得のための新たな戦略「三〇％複利戦法」を開発し、会員様への情報提供を開始しました。「オプション取引」は、大きな収益を得られる可能性がある反面、収益局面を当てるのが難しいという傾向がありますが、新戦略では利益率を抑える代わりに勝率を上げることを目指していま す。こうした戦略もうまく使うことで、「オプション取引」の面白さを実感していただけることでしょう。これからの「恐慌経由、国家破産」というピンチをチャンスに変えたい方のご入会を心よりお待ちしております。

※なお、オプション研究会のご入会には、「日米成長株投資クラブ」の会員であることが条件となります。また、ご入会時には当社規定に基づく審査があります。あらかじめご了承下さい。

「㈱日本インベストメント・リサーチ オプション研究会」担当 山内・稲垣・関
TEL：〇三（三二九一）七二九一 FAX：〇三（三二九一）七二九二
Eメール：info@nihoninvest.co.jp

い」という方は、ぜひご入手下さい。

「オプション研究会 無料説明会 受講DVD／CD」（約一六〇分）

価格 DVD 三〇〇〇円（送料込）／CD 二〇〇〇円（送料込）

※お申込み確認後、約一〇日で代金引換にてお届けいたします。

■以上、「オプション研究会」、DVD／CDに関するお問い合わせは、

㈱日本インベストメント・リサーチ「オプション研究会」担当：山内・稲垣・関

TEL：〇三（三二九一）七二九一 FAX：〇三（三二九一）七二九二

Eメール：info@nihoninvest.co.jp

〈参考文献〉

【新聞・通信社】

『日本経済新聞』『産経新聞』『ロイター』

【書籍】
『増補 幕末百話』(篠田鉱造著　岩波書店)『最暗黒の東京』(松原岩五郎著　岩波書店)
『大菩薩峠』(中里介山著　ちくま書房)『貧民の帝都』(塩見鮮一郎著　河出書房新社)
『民衆暴力——一揆・暴動・虐殺の日本近代』(藤野裕子著　中央公論新社)
『明治維新という幻想　暴虐の限りを尽くした新政府軍の実像』(森田健司著　洋泉社)
『生きづらい明治社会 不安と競争の時代』(松沢裕作著　岩波書店)
『江戸東京の明治維新』(横山百合子著　岩波書店)『「駅の子」の闘い』(中村光博著　幻冬舎)
『廃藩置県　近代国家誕生の舞台裏』(勝田政治著　角川書店)
『幕末武家の回想録』(柴田宵曲著　角川書店)『東京のヤミ市』(松平誠著　講談社)
『浮浪児 1945 - 戦争が生んだ子供たち』(石井光太著　新潮社)
『国家は破綻する——金融危機の 800 年』(カーメン・M. ラインハート、ケネス・S. ロゴフ著　日経 BP)
【拙著】
『国家破産で起きる 36 の出来事』(第二海援隊)
『年率 35%の脅威のファンドの正体とは!?』(第二海援隊)
『この国は 95%の確率で破綻する!!』(第二海援隊)
『2014 年日本国破産〈対策編③〉』(第二海援隊)
『いよいよ政府があなたの財産を奪いにやってくる!?』(第二海援隊)
『株大暴落、恐慌目前!』(第二海援隊)『コロナでついに国家破産』(第二海援隊)
『ギリシャの次は日本だ!』(第二海援隊)『国家破産ではなく国民破産だ!〈下〉』(第二海援隊)
『もはや日本には創造的破壊(ガラガラポン)しかない!!』(第二海援隊)
『2026 年日本国破産〈警告編〉〈対策編・上〉』(第二海援隊)
『小泉首相が死んでも本当の事を言わない理由〈上〉』(第二海援隊)

【その他】

『ロイヤル資産クラブレポート』


【ホームページ】

フリー百科事典『ウィキペディア』

『財務省』『日本銀行』『国立国会図書館』『NHK』『IMF』『東京都北区』

『昭和館』『横須賀市自然・人文博物館』『秩父観光協会』『明治神宮』

『総合地球環境学研究所学術リポジトリ』『日本戦略研究フォーラム』

『日本貿易振興機構 アジア経済研究所』『大阪大学 学術情報庫』

『京都大学 学術情報リポジトリ 紅』『シノドス』『松山大学』『関西大学』

『日本大学大学院 総合社会情報研究科』『つくばリポジトリ(筑波大学)』

『エコノミスト Online』『マネー現代』『ダイヤモンドオンライン』

『Wedge Online』『日経 BizGate』『東洋経済オンライン』『現代ビジネス』

『プレジデントオンライン』『アゴラ』『日刊ゲンダイ』『朝鮮日報』

『日本文教出版』『日本ドットコム』『パーソル総合研究所』『栄研化学』

『ライフルホームズ』『現代の理論』『Yahoo! ニュース』

〈著者略歴〉

浅井　隆（あさい　たかし）

経済ジャーナリスト。1954 年東京都生まれ。学生時代から経済・社会問題に強い関心を持ち、早稲田大学政治経済学部在学中に環境問題研究会などを主宰。一方で学習塾の経営を手がけ学生ビジネスとして成功を収めるが、思うところあり、一転、海外放浪の旅に出る。帰国後、同校を中退し毎日新聞社に入社。写真記者として世界を股にかける過酷な勤務をこなす傍ら、経済の猛勉強に励みつつ独自の取材、執筆活動を展開する。現代日本の問題点、矛盾点に鋭いメスを入れる斬新な切り口は多数の月刊誌などで高い評価を受け、特に 1990 年東京株式市場暴落のナゾに迫る取材では一大センセーションを巻き起こす。
その後、バブル崩壊後の超円高や平成不況の長期化、金融機関の破綻など数々の経済予測を的中させてベストセラーを多発し、1994 年に独立。1996 年、従来にないまったく新しい形態の 21 世紀型情報商社「第二海援隊」を設立し、以後約 20 年、その経営に携わる一方、精力的に執筆・講演活動を続ける。
主な著書：『大不況サバイバル読本』『日本発、世界大恐慌！』（徳間書店）『95 年の衝撃』（総合法令出版）『勝ち組の経済学』（小学館文庫）『次にくる波』（PHP 研究所）『HuMan Destiny』（『9・11 と金融危機はなぜ起きたか!?〈上〉〈下〉』英訳）『いよいよ政府があなたの財産を奪いにやってくる!?』『徴兵・核武装論〈上〉〈下〉』『最後のバブルそして金融崩壊『国家破産ベネズエラ突撃取材』『都銀、ゆうちょ、農林中金まで危ない!?』『巨大インフレと国家破産』『年金ゼロでやる老後設計』『ボロ株投資で年率 40%も夢じゃない!!』『2030 年までに日経平均 10 万円、そして大インフレ襲来!!』『コロナでついに国家破産』『老後資金枯渇』『2022 年インフレ大襲来』『2026 年日本国破産〈警告編〉〈あなたの身に何が起きるか編〉〈現地突撃レポート編〉〈対策編・上／下〉』『極東有事——あなたの町と家族が狙われている！』『オレが香港ドルを暴落させる　ドル / 円は 150 円経由 200 円へ！』『巨大食糧危機とガソリン 200 円突破』『2025 年の大恐慌』『1 ドル＝ 200 円時代がやってくる!!』『ドル建て金持ち、円建て貧乏』『20 年ほったらかして 1 億円の老後資金を作ろう！』『投資の王様』『国家破産ではなく国民破産だ！〈上〉〈下〉』『2025 年の衝撃〈上〉』（第二海援隊）など多数。

2025 年の衝撃〈下〉

2023 年 12 月 25 日　初刷発行

著　者　浅井　隆
発行者　浅井　隆
発行所　株式会社　第二海援隊
〒 101-0062
東京都千代田区神田駿河台２-５-１　住友不動産御茶ノ水ファーストビル８Ｆ
電話番号　03-3291-1821　　ＦＡＸ番号　03-3291-1820

印刷・製本／株式会社シナノ

　ISBN978-4-86335-238-4

Printed in Japan

第二海援隊発足にあたって

日本は今、重大な転換期にさしかかっています。にもかかわらず、私たちはこの極東の島国の上で独りよがりのパラダイムにどっぷり浸かって、まだ太平の世を謳歌しています。

しかし、世界はもう動き始めています。その意味で、現在の日本はあまりにも「幕末」に似ているのです。ただ、今の日本人には幕末の日本人と比べて、決定的に欠けているものがあります。それこそ、志と理念です。現在の日本は世界一の債権大国（＝金持ち国家）に登り詰めはしましたが、人間の志と資質という点では、貧弱な国家になりはててしまいました。それこそが、最大の危機といえるかもしれません。

そこで私は「二十一世紀の海援隊」の必要性を是非提唱したいのです。今日本に必要なのは、技術でも資本でもありません。志をもって大変革を遂げることのできる人物と、それを支える情報です。まさに、情報こそ〝力〟なのです。そこで私は本物の情報を発信するための「総合情報商社」および「出版社」こそ、今の日本に最も必要と気付き、自らそれを興そうと決心したのです。

しかし、私一人の力では微力です。是非皆様の力をお貸しいただき、二十一世紀の日本のために少しでも前進できますようご支援、ご協力をお願い申し上げる次第です。

浅井　隆